Chère lectrice,

Puisque nous entrons dans la période des gourmandises de Noël, laissez-moi vous demander si vous savez ce qu'on appelle un gâteau de paradis ? Ou une bouchée d'ange ?

Ce sont tout simplement des spécialités, préparées pour les fêtes dans le secret des cuisines des couvents espagnols, des douceurs succulentes qui vous élèvent au paradis. Les religieuses — ces recettes font partie des tâches traditionnelles de la communauté — travaillent dans les règles de l'art à concocter ces friandises qui portent des noms évocateurs :

- Le « Bocadito de angel », la fameuse « bouchée d'ange », est un riche massepain fourré à la confiture de potiron.

- Le « Cabello de angel », ou « cheveux d'ange », est également à base de potiron.

- Les « Lazos de hoja » sont des gâteaux feuilletés en forme de nœuds, saupoudrés de sucre.

- Le « Pastel de gloria », ou « gâteau de paradis », cité plus haut, est un petit massepain aux œufs fourré à la confiture et roulé dans le sucre glace.

- Quant au « Polvoron », il s'agit d'un biscuit poudreux qui fond dans la bouche, au lait de farine grillée et aux amandes.

… Et j'en passe !

Très loin de nos cuisines modernes et de nos gâteaux « prêts à mettre au four », ces gâteaux du ciel sont une célébration de la cuisine qui prend son temps. La cuisson se fait au feu de bois, les produits sont soigneusement choisis, et s'il faut battre deux heures des œufs et des amandes pour que ce soit parfait, on le fait. En dégustant une de ces bouchées exquises, le poète sévillan Luis Cernuda écrit qu'on croirait goûter aux lèvres d'un ange…

Joyeux Noël !

La responsable de collection

Tout près du bonheur

PEGGY MORELAND

Tout près du bonheur

Collection *Passion*

éditions Harlequin

Cet ouvrage a été publié en langue anglaise
sous le titre :
THE WAY TO A RANCHER'S HEART

Traduction française de
LUCY ALDWYN

HARLEQUIN®

est une marque déposée du Groupe Harlequin
et Passion® est une marque déposée d'Harlequin S.A.

Originally published by SILHOUETTE BOOKS,
division of Harlequin Enterprises Ltd.
Toronto, Canada

1.

Seul dans la nuit, au volant de sa bétaillère, David Rawley regagnait sa ferme du Texas après une dure semaine passée à écumer les meilleurs élevages du Kansas. Jour après jour, il avait sélectionné, isolé et finalement embarqué les têtes de bétail qu'il ramenait pour son ranch. Un travail éprouvant physiquement et qui requérait un coup d'œil sûr. Pas le droit à l'erreur. Il était conscient d'avoir atteint le niveau maximum de l'épuisement sur son échelle personnelle et avait hâte d'arriver chez lui, de retrouver ses enfants et sa sœur, Penny.

Avec un soupir de soulagement, il vira dans l'allée qui conduisait aux étables et gara le semi-remorque à proximité du corral. Il descendit de la cabine, et, titubant de fatigue, se dirigea vers la maison dont la silhouette se devinait dans l'obscurité. D'un pas lourd, il monta les marches du porche, enleva ses bottes, les laissant là, prêtes à l'emploi pour le lendemain ou plutôt le matin même. Il traversa la cuisine, puis le hall, tout en sortant machinalement sa chemise de son pantalon. Une fois dans sa chambre, il mit le réveil sur 6 heures et défit la ceinture de son jean. Sans plus se déshabiller, il s'affala de tout son long sur le lit, à plat ventre. L'instant d'après, il dormait.

***

Trois heures plus tard à peine, il fut réveillé par la sonnerie persistante du réveil. D'un poing rageur, il l'arrêta, replongea la tête dans le couvre-lit et envisagea de remettre à plus tard le déchargement du camion. Mais l'odeur de café qui vint lui chatouiller les narines le fit changer d'avis. Se redressant sur les mains, il renifla l'air ambiant et avec un soupir, s'assit au bord du lit.

— Ma chère sœur ! dit-il tout haut. Une sainte !

Il se frotta les yeux, réajusta son jean et tituba jusqu'à la cuisine en chaussettes. Un énorme bâillement le prit, l'obligeant à fermer les yeux et naviguer à l'aveuglette autour du comptoir central pour atteindre l'endroit où se trouvait la cafetière.

— Bonjour, dit-il d'un ton bourru, se passant la main sur sa poitrine musclée.

— Bonjour, répondit une voix claire. Comment voulez-vous vos œufs, ce matin ? A la poêle ou brouillés ?

Il se figea, la main sur la cafetière et se retourna lentement. Il essaya de visualiser la femme qui lui faisait face derrière le comptoir, occupée à découper des biscuits dans un monceau de pâte. Ce qu'il vit le laissa muet de surprise. Un nez parsemé de taches de rousseur, des yeux verts, des lèvres pleines qui lui souriaient de manière anormale pour cette heure matinale. Des cheveux châtains descendaient sur les épaules, encadrant un visage ovale, lumineux… qui n'était pas celui de sa sœur !

— Qui diable êtes-vous ? demanda-t-il, stupéfait.

Elle s'essuya les mains sur son tablier, fit le tour du comptoir et, avec un sourire, lui tendit une main débarrassée de farine.

— Annie Baxter, dit-elle. Je suis votre nouvelle intendante, nurse, nounou, etc.

8

Il examina le tablier qui cachait à peine le T-shirt sans manches, le jean coupé bien au-dessus du genou, révélant une paire de jambes bronzées d'un galbe parfait et des pieds nus aux ongles peints en bleu ! Sans prendre la main tendue, il revint au visage et répéta :

— Intendante ? Nounou ?

Le sourire s'effaça du visage radieux et elle expliqua :

— Eh bien, oui. Votre sœur, Penny Rawley, m'a engagée pour tenir ces fonctions. Penny Rawley ?

Elle redit ce nom comme pour lui rafraîchir la mémoire.

— Vous saviez qu'elle cherchait quelqu'un pour la remplacer, non ?

David Rawley avala plusieurs fois sa salive, se souvenant vaguement d'une conversation qu'il avait eue avec sa sœur quelques semaines plus tôt. Effectivement, elle avait dû lui faire part de son intention de quitter la ferme et de trouver quelqu'un qui la remplacerait auprès des enfants et tiendrait la maison. Il n'avait pas cru un instant qu'elle parlait sérieusement car elle avait plusieurs fois exprimé ce désir sans le mettre à exécution. Penny avait toujours fait partie de sa vie, depuis la mort de leurs parents, quinze ans auparavant, depuis la mort de sa femme. Il n'avait jamais pensé qu'elle pouvait aller vivre ailleurs. Jamais, au grand jamais, cette éventualité ne lui avait effleuré l'esprit. Penny était le point d'ancrage de toute la famille, celle sur laquelle il se reposait pour l'organisation de la vie quotidienne et le reste.

— Oui, dit-il enfin. Je me rappelle qu'elle y a fait allusion.

Se rendant compte qu'elle avait toujours la main tendue, il la lui serra énergiquement. Elle sourit comme soulagée.

— Ouf ! dit-elle avec un petit rire. Vous m'avez fait peur ! J'ai cru que je m'étais trompée de famille !

Elle retira sa main et revint au comptoir pour se remettre à sa pâtisserie.

— Penny m'avait prévenue de votre retour, mais je vous attendais un peu plus tard dans la matinée.

— J'ai décidé de rentrer de nuit, murmura-t-il.

Il n'arrivait pas à croire que Penny fût partie en laissant une étrangère aux commandes de la maison.

— Vous êtes là depuis combien de temps ? demanda-t-il.

— Six jours. Penny m'a engagée lundi dernier et elle est restée jusqu'à jeudi pour me mettre au courant et s'assurer que tout se passait bien, en particulier avec les enfants. Quand elle a vu qu'ils m'acceptaient, elle nous a laissés nous débrouiller. Et, ma foi, cela ne se passe pas si mal.

David comprenait parfaitement pourquoi sa sœur n'avait pas attendu son retour pour partir. S'il avait été là, il ne lui aurait pas laissé franchir le seuil de la porte. En tout cas, pas de bon gré ni sans essayer de la faire changer d'avis.

— A-t-elle dit où elle allait ? dit-il. Comment on peut la joindre ?

— Bien sûr, dit-elle, apparemment étonnée de sa question.

Elle s'essuya de nouveau les mains à son tablier et se tournant vers le secrétaire derrière elle, elle y prit un bloc-notes qu'elle lui présenta entre deux doigts encore légèrement farinés.

— Elle passe quelques jours chez Suzy. Vous connaissez Suzy, je crois ?

Normal qu'elle lui pose la question, remarqua-t-il, à lui qui n'avait pas l'air d'être au courant des projets de sa propre sœur !

— Oui, admit-il à contrecœur. Je sais qui est Suzy.

Il déchira la feuille du bloc, le rejeta rageusement sur le comptoir et enfouit le papier dans sa poche avant d'aller vers la cafetière.

— Vous ne m'avez pas répondu pour vos œufs, dit la jeune femme. A la poêle ou brouillés ?

Les sourcils froncés, il se versa une dose généreuse de café, priant le ciel que ce cauchemar se dissipe, qu'il se réveille de ce mauvais rêve.

Mais quand l'étrangère ne fit pas mine de disparaître sur un nuage par la fenêtre, qu'il la vit découper adroitement les biscuits dans la pâte puis les disposer sur la tôle comme si elle était chez elle, il marmonna : « A la poêle » et prit la direction de la porte.

— J'ai des coups de téléphone à donner, dit-il par-dessus son épaule. Appelez-moi quand c'est prêt.

En fait, le seul coup de téléphone qu'il avait à donner était à Suzy et à sa chère sœur. Il dut attendre plusieurs sonneries avant que la voix ensommeillée de Suzy ne dise :

— Allô ?

— Va me chercher Penny, grommela David.

— Bien le bonjour à toi, David Rawley ! répliqua Suzy sans se laisser démonter.

Il l'entendit poser le téléphone assez bruyamment et crier :

— Penny ! Téléphone. C'est le Grand Méchant Loup !

Il tiqua en entendant le surnom dont Suzy l'avait affublé des années auparavant et ses doigts pianotèrent impatiemment sur le bureau tandis qu'il attendait que sa sœur prenne l'appareil.

— David ?

— A quoi penses-tu ? attaqua-t-il aussitôt. Tu décampes et tu abandonnes les enfants aux mains d'une étrangère ?

— Annie n'est pas une étrangère, se défendit Penny. Pas complètement. Je l'ai bien interrogée, j'ai vérifié ses références et tout ce qu'elle avait mentionné dans son CV avant de l'engager. Elle est tout à fait sérieuse et compétente et saura très bien s'occuper des enfants.

— Je me moque de savoir si c'est Mary Poppins en personne, dit-il. Tu rappliques ici de toute urgence. Ta place est à la ferme. Et je t'attends.

— Inutile, dit Penny fermement. Je ne viendrai pas. J'ai accepté un poste à Austin.

— Tu as quoi ? hurla-t-il dans l'appareil.

— J'ai accepté un poste de secrétaire de direction auprès du directeur d'une compagnie d'informatique, l'informa Penny. Cela a l'air très intéressant.

— Démissionne. Trouve un prétexte, lui intima-t-il, levant la main en l'air d'un geste qui, dans son esprit, balayait toute velléité de rébellion. Reviens là où tu dois être : à la ferme. Je ne veux pas d'une étrangère pour élever mes enfants.

— Alors, occupe-toi d'eux toi-même ! rétorqua Penny d'une voix où perçait la colère.

Surpris d'une telle réaction, il éloigna le récepteur de son oreille. Il était tout bonnement étonné qu'elle ose le défier. Il rapprocha l'appareil et demanda :

— C'est Suzy qui t'a mis ces idées en tête ?

— Non, David. Suzy n'y est pour rien. J'ai décidé toute seule.

— Ce serait tellement commode de me faire porter le chapeau, entendit-il Suzy dire par-derrière.

— Ce ne serait pas la première fois qu'elle te monte la tête avec ses idées idiotes, dit-il, furieux. Ce n'est pas ton genre de ficher le camp sans prévenir, en laissant tout en plan et mes enfants aux mains d'une parfaite inconnue. Et si ça ne marche pas ? Si elle décide de partir ? Tu as pensé à cela ? Qui s'occupera d'eux ?

— Toi, dit Penny fermement. Ce sont tes enfants. Pas les miens. Il est grand temps que tu te prennes en mains et que tu assumes tes responsabilités de père.

Il bondit de sa chaise et hurla :

— Je n'ai jamais fui mes responsabilités, tu m'entends ! Je me tue au travail pour qu'ils ne manquent de rien, qu'ils aient tout ce dont ils ont besoin.

— Tout, sauf toi, répliqua-t-elle.

Elle avait des larmes dans la voix quand elle ajouta :

— David, ils ont besoin de toi, de ton attention. Est-ce que tu t'en rends compte ? Quand Claire est morte, c'est non seulement leur mère qu'ils ont perdue, mais aussi leur père. Pense un peu à eux.

Sur ces mots, elle raccrocha et, dégoûté, il en fit autant.

Il prit une douche, mit des vêtements propres et, toujours furieux, revint dans la cuisine. De loin, il entendit rire Rachel, la petite dernière, tout juste six ans.

Il poussa les portes battantes et demanda :

— Qu'est-ce qu'il y a de si drôle ?

Quatre têtes se tournèrent dans sa direction. Rachel se jeta en bas de son tabouret et se précipita vers lui, lui entourant la taille de ses bras.

— Papa ! cria-t-elle.

D'une main maladroite, il lui caressa la tête.

— Bonjour, Choupette, dit-il avec un froncement de sourcils.

Elle le tira par la main et annonça :

— On a une nouvelle dame pour s'occuper de nous, comme une nounou. Elle s'appelle Annie et elle est supercool.

Il se rembrunit encore plus en entendant Rachel employer une expression qu'elle avait dû emprunter à ses aînés.

— A ce qu'il paraît, dit-il.

Il donna une tape dans le dos de Clay, son fils et s'assit à la table, saluant d'un signe de tête Tara, la jumelle de Clay. Il déplia sa serviette, la posant soigneusement sur son genou, ce qui lui évita de lever les yeux et de regarder la nouvelle… nounou.

— Est-ce que vous ne devriez pas être déjà en route pour l'école ? demanda-t-il.

Tara leva les yeux au ciel, signifiant ce qu'elle pensait de son père : à côté de la plaque, comme d'habitude !

— Il est à peine 7 heures, dit-elle. On a le temps !

David se servit de biscuits et marmonna :

— Pas question que vous manquiez le car. J'ai tout un camion de bêtes à décharger. Ne comptez pas sur moi pour vous emmener si vous le ratez. Pas le temps. Alors, bougez-vous les fesses.

Tara reposa sa serviette sur la table, et recula sa chaise.

— Cela t'arrive souvent d'avoir le temps de faire quelque chose avec nous ? répliqua-t-elle sèchement avant de quitter brusquement la pièce.

David la suivit du regard, enregistrant les boots pointus, le jean sur les hanches et le T-shirt raccourci qui laissait voir dix bons centimètres de dos nu.

— Et tu t'habilles décemment, cria-t-il dans son dos. Ma fille ne va pas en classe vêtue comme un clochard et à moitié nue.

Il l'entendit répondre quelque chose qu'il ne saisit pas mais dont il devina la teneur. Il se renfrogna encore plus, se rappelant les paroles de sa sœur. Cela ne l'empêcha pas de tartiner copieusement de beurre un biscuit dont il reconnut qu'ils étaient… bons. Sa sœur avait raison d'une certaine manière, admit-il. Il s'était reposé sur elle pour beaucoup de choses. Malgré cela, il ne fuyait pas ses responsabilités. Et pour se le prouver, il demanda aux deux qui restaient :

— Vous avez fait vos devoirs ?

— Oui, papa, répondit docilement Rachel.

David se tourna vers Clay qui n'avait pas dit un mot jusque-là. Pointant un menton dégoulinant de beurre dans la direction de son fils, il interrogea :

— Et toi ?

Clay recula sa chaise et se leva.

— Je n'en avais pas, lança-t-il avant de sortir de la cuisine.

David s'essuya le menton et riposta en direction de la porte :

— Vaudrait mieux pas que tes profs m'appellent pour me dire que tu ne travailles pas !

Se tournant vers Rachel qui finissait de déjeuner, il demanda :

— Et toi, tu ne vas pas à l'école aujourd'hui ?

— Si, si, dit précipitamment la petite fille en se levant de table. J'y vais. Merci pour le déjeuner, Annie.

Elle eut un sourire pour la nouvelle nounou avant d'ajouter :

— C'était délicieux.

Annie lui rendit son sourire.

— Je suis contente que cela t'ait plu, dit-elle. N'oublie pas tes sandwichs.

— Est-ce que tu m'as mis une surprise comme vendredi dernier ?

Annie lui tendit la petite mallette qui contenait son déjeuner et passant un bras autour de ses épaules, affirma :

— Bien sûr. Tu ne regarderas pas ? D'accord ? Autrement, ce ne serait plus une surprise.

Elle lui tapotait le bout du nez et Rachel sourit.

— Promis, dit-elle. A bientôt. On se retrouve après l'école.

— Je t'attendrai.

Rachel fit un petit signe de connivence et fonça vers la porte. David était surpris de la complicité qui semblait s'être établie entre eux et… cette fille. Un peu plus, il aurait été jaloux s'il avait su mettre un nom sur ce qu'il ressentait.

Seul avec la « nounou », il regretta d'avoir expédié ses enfants si vite. Car, après leur départ, un silence pesant s'installa dans la pièce. David s'éclaircit la voix et dit :

— J'imagine que Penny vous a mise au courant des tâches qui vous incombent ?

— Oui. Elle m'a tout expliqué.

Mal à l'aise, il reprit un biscuit qu'il s'occupa à tartiner.

— Je suis dehors toute la journée, précisa-t-il encore, mais si vous avez besoin de moi, j'ai un téléphone mobile sur lequel vous pouvez m'appeler. Le numéro est accroché au mur près du téléphone de l'entrée.

— Penny m'a tout montré et m'a informé des horaires de chacun, dit-elle.

Elle posa ses coudes sur la table et le menton appuyé sur ses mains croisées, elle se pencha en avant, l'observant de ses yeux verts.

— Votre absence a paru longue aux enfants, dit-elle.

Il se sentit rougir et avala une grande bouchée d'œufs avant de dire :

— Je ne m'absente pas souvent et ce n'est jamais pour plus d'une semaine.

— N'importe, reprit-elle. Leur papa leur manque quand vous n'êtes pas là.

16

Il s'éclaircit de nouveau la gorge, finit son café et se leva.

— Il faut que je décharge les bêtes, dit-il, se dirigeant vers la porte.

Elle ne le quittait pas des yeux et demanda :

— Rentrerez-vous déjeuner ?

Il faillit répondre « non » uniquement pour éviter de se retrouver seul avec elle mais il n'eut pas le courage de se passer de déjeuner.

— Oui, dit-il. Mais, ne faites pas de cuisine. Je me contenterai d'un sandwich.

Elle se leva à son tour et se mit à débarrasser la table.

— J'aime cuisiner, dit-elle. Cela m'amuse. Y a-t-il quelque chose qui vous ferait plaisir ?

Il prit son chapeau à la patère où il l'avait machinalement accroché la nuit précédente et se retourna. Elle lui tournait le dos, portant les assiettes à l'évier. Il ne put s'empêcher de remarquer que son tablier ne cachait rien d'un petit derrière rebondi et d'un balancement de hanches pas désagréable à regarder. Il se racla la gorge car la vue des pieds nus sur le carrelage et des ongles peints en bleu nuit lui rendait la gorge sèche. Il sentit une bouffée de chaleur lui monter au visage et lui brûler le cou.

— Je ne suis pas difficile, affirma-t-il, détournant les yeux de ce qui n'aurait pas dû être un spectacle érotique. Je mangerai ce que vous mettrez dans mon assiette.

Elle tourna la tête avec un sourire qui accentua sa gêne et déclara :

— Très bien. Puisque vous me laissez le choix, je vous ferai la surprise. Disons midi et demi ?

Troublé, il enfonça son chapeau sur sa tête et se demanda s'il aurait droit au même genre de surprise que Rachel.

— D'accord pour midi et demi, grogna-t-il.

Annie sortit au soleil, heureuse de sentir l'air tiède sur son visage et, se dirigeant au hasard, pénétra sur un terrain entouré d'une barrière qu'elle ne connaissait pas encore. Elle se rendit compte qu'il y avait eu un jardin autrefois dans cet endroit. On discernait encore les plates-bandes enfouies sous les mauvaises herbes. Un jardin ! Son rêve ! Elle imaginait déjà les rangées de tomates mûries au soleil, les melons calés sur leurs feuilles veloutées au milieu de sillons bien ordonnés, les salades et leurs tendres feuilles vertes… ou rouge foncé.

Cela faisait longtemps qu'elle n'avait pas eu l'occasion d'avoir un jardin, de toucher la terre à mains nues, de se réjouir de voir pousser les fruits et les légumes. Plus de quatre ans maintenant. Depuis la mort de sa grand-mère.

Avec un soupir, elle continua son exploration et se dit qu'elle pourrait demander à son patron la permission de faire revivre le jardin. Elle se sentait prête à travailler dur pour arracher les mauvaises herbes, retourner la terre et y planter quelques légumes. C'était la bonne période, juste avant la fin du printemps.

Son visage se rembrunit à la pensée du patron. Penny n'avait pas menti quand elle l'avait prévenue que son frère était réservé et qu'il pouvait se montrer un peu bourru. Bourru, s'indigna-t-elle! Mieux que cela. Désagréable, acariâtre, un vrai tyran, en réalité. En particulier avec ses enfants.

Mais… — car il y avait un « mais » de taille —, quel bel homme ! Elle eut un petit frisson au souvenir de son entrée dans la cuisine, ce matin. A peine réveillé, les yeux mi-clos, se passant la main sur un torse velu et musclé. Elle se demanda s'il savait que son jean n'était pas complètement fermé. Elle se demanda aussi si elle avait laissé voir qu'elle appréciait la vision du nombril, du ventre plat, finement recouvert de poils dans l'ouverture en V qui semblait pointer vers le membre caché sous le tissu. Un tissu plus clair à cet endroit.

Avec un petit gloussement de plaisir, elle se pencha pour cueillir un bouton d'or perdu au milieu de la végétation folle et se redressa pour le mettre à son oreille.

— Qu'est-ce que vous faites ?

Elle sursauta et se retourna, le souffle court. Son employeur, justement, se tenait près du portillon et la regardait, les bras croisés sur la poitrine, le chapeau enfoncé sur les yeux.

Elle respira à fond et, portant la main à sa poitrine, s'exclama :

— Juste ciel ! Vous pourriez prévenir ! J'ai l'impression d'avoir vieilli de dix ans sous le choc !

Il plissa les yeux et demanda :

— A propos, vous avez quel âge au juste ?

Elle enleva nerveusement la fleur de son oreille, de peur que ce genre d'enfantillage ne soit pas du goût du patron.

— Vingt-six ans.

Il émit un reniflement sceptique et se moqua :

— A d'autres !

Par crainte des tiques, nombreux dans la région, qui pouvaient se cacher dans l'herbe folle, elle revint vers l'entrée et jeta :

— J'ai vingt-six ans, cher monsieur. Si vous ne me croyez pas, je peux vous montrer mon permis de conduire.

Elle atteignit le portillon et l'ouvrit.

Il se recula pour la laisser passer, lui jetant un regard soupçonneux.

— Vous en faites à peine dix-huit, dit-il. Et encore !

Elle rit, se demandant si elle devait se sentir flattée ou vexée.

— J'imagine que je dois le prendre pour un compliment, dit-elle, rejetant ses cheveux en arrière et lui faisant face.

Elle plissait les yeux pour éviter la lumière du soleil et, avec un sourire, demanda à son tour :

— Et vous ? Vous avez quel âge ?

Il la regarda longuement, lui faisant prendre conscience d'être à peine vêtue : un minidébardeur, un jean coupé et recoupé, pieds nus... Il finit par décroiser les bras, mettre les mains dans ses poches et prendre le chemin de la maison en disant :

— Assez vieux pour me méfier des gamines de votre âge.

Elle pouffa de rire :

— Des gamines de mon âge ? Qu'est-ce que cela veut dire ?

Il haussa les épaules et monta les marches du porche. Elle le suivit et il lui ouvrit la porte, la laissant entrer la première dans la maison.

— Quand j'étais jeune, on les appelait des « allumeuses », dit-il abruptement. A présent, quand j'en vois une, je me dis : « Attention, danger ! »

Elle refusa de se laisser décontenancer par le ton et les propos blessants, se contentant de relever :

— Danger ?

Comme il ne s'empressait pas de s'expliquer, elle se planta devant lui, bras croisés sous les seins, les sourcils levés, décidée à ne pas faire un pas de plus avant qu'il ne précise sa pensée.

Le regard de David fut attiré par les seins qui tendaient le mince tissu du débardeur et un peu de rouge lui monta aux joues. Elle se retint de sourire pour ne pas irriter l'homme en face d'elle.

— Danger, c'est tout, répéta-t-il, comme si ce mot se suffisait à lui-même.

Il la poussa légèrement pour la faire entrer dans la cuisine. Elle alla à l'évier se laver les mains et dit :

— D'accord, je suis plus jeune que vous. Mais, qu'y a-t-il de mal à être une femme jeune ? Qu'est-ce qui vous fait penser à un quelconque danger ?

— Une femme ? se moqua-t-il. J'ai dit une gamine.

Elle décrocha un torchon et s'essuya les mains. Le regardant bien en face, elle s'enquit :

— D'après vous, que doit faire une gamine pour mériter le qualificatif de « femme » ?

Il passa devant elle, l'écartant de l'évier. Il appuya sur le robinet et se mit à se laver les mains à son tour.

— Apprendre à vivre, dit-il. Acquérir de l'expérience.

Annie s'amusait de cette conversation sans bien savoir où cela les menait. Elle s'appuya au comptoir pendant qu'il se savonnait énergiquement les mains.

— Et qu'est-ce que vous appelez « expérience » ? demanda-t-elle.

Il fronça les sourcils et ferma le robinet avec son poignet. Les mains dégoulinantes, il attendit. Elle lui passa le torchon et il se rembrunit encore plus.

— Vivre, répéta-t-il. La vie offre ses expériences à tout un chacun.

Elle se tint sur une hanche et le regarda se diriger vers le réfrigérateur.

— Vraiment ? dit-elle.

— Vraiment, affirma-t-il.

Il sortit une bouteille de lait, referma la porte et but à la bouteille. Elle émit un petit claquement de langue désapprobateur devant son manque de manières et d'hygiène. Elle sortit un verre d'un placard et lui prit la bouteille des mains.

Il se renfrogna, essuya de la main la trace blanche laissée par le lait et protesta :

— Qu'est-ce qui vous prend ? J'ai soif.

Elle emplit le verre et le lui tendit :

— Pas propre et un mauvais exemple pour les enfants, dit-elle. Je ne m'étonne plus que Clay en fasse autant.

Elle replaça la bouteille au réfrigérateur et en sortit un saladier.

— J'espère que vous aimez la salade de spaghettis ? C'est ce que je vous ai préparé pour le déjeuner.

Il la suivit et s'assit à table où l'attendait son assiette.

— Qu'est-ce que vous y avez mis ?

— Des spaghettis, des oignons, des légumes poêlés dans l'huile d'olive et une sauce au vinaigre balsamique.

Il se recula sur sa chaise et annonça :

— Je n'aime que les steaks avec des pommes de terre.

Elle s'assit à table et s'étonna :

— J'aurais cru que vous occuper de tout ce fichu bétail vous aurait fait perdre l'envie de manger de la viande, dit-elle.

Il lui lança un regard peu amène et s'insurgea :

— Ce fichu bétail, comme vous dites, paie les factures.

Elle haussa les épaules et lui servit une large portion de spaghettis.

— Moins vous consommez de votre viande, plus vous en vendez et plus cela rapporte, non ? dit-elle.

Il haussa les sourcils et s'exclama :

— Qu'est-ce que c'est que ce genre de raisonnement ?

Elle se servit également et répliqua :

— Cela va de soi. Vous pouvez vendre tout ce que vous n'avez pas consommé. Logique, non ?

Il leva les yeux au ciel et dit :

— Logique pour une gamine de votre acabit.

Elle poussa un soupir et demanda :

— C'est reparti ?

Il se mit à manger. Elle attira la corbeille de pain vers elle, se servit, lui en mit un morceau sur son assiette et dit :

— Si c'est votre seul sujet de conversation, vous avez des progrès à faire.

— Que vous dites ! dit-il, la bouche pleine. Vous êtes vexée que je vous ai traitée de gamine, c'est tout.

Elle se recula sur sa chaise et le regarda s'empiffrer de sa salade. Lui qui avait prétendu n'aimer que la viande et les pommes de terre ! Elle retint un sourire de satisfaction et répliqua :

— Je ne suis pas le moins du monde vexée. C'est vrai que je suis une fille, pas un garçon, et je suis fière de l'être. Je suis simplement surprise que vous pensiez que je n'ai aucune expérience sans prendre la peine de vous renseigner à mon sujet. Vous ne savez rien de moi, fit-elle remarquer.

Il leva la tête, la dévisagea un instant et avant de se remettre à manger, dit brièvement :

— J'écoute.

Elle but une gorgée d'eau, posa les coudes sur la table et expliqua :

— J'ai terminé mes études à l'université du Texas en décembre dernier. J'ai une licence en histoire de l'art et en pédagogie des adolescents.

Il releva la tête et s'étonna :

— Qu'est-ce qu'une femme bourrée de diplômes vient faire chez moi comme intendante et… nounou ?

Ce fut à son tour de lever les yeux au ciel :

— Si vous croyez qu'on trouve un poste d'enseignant en décembre !

— Vous voulez enseigner ?

— Oui, et contribuer comme pigiste à certaines publications.

— Quel genre de contribution ? interrogea-t-il.

— Des reportages photo, accompagnés d'articles sur la vie des gens, les aspects pittoresques de la campagne...

— Vous avez l'air de savoir ce que vous voulez, constata-t-il.

— Tout à fait. C'est un projet mûrement réfléchi.

Elle ne put résister à l'envie de le taquiner et demanda :

— Est-ce que cela me réhabilite à vos yeux ? Me fait paraître plus expérimentée ? Plus femme ?

Il eut un grognement ironique.

— L'expérience s'apprend par les coups durs, déclara-t-il. C'est là où j'ai fait mes classes, moi. A l'école des coups durs.

— De quel genre ?

A cette question, le regard de l'homme en face d'elle se voila sous l'effet d'un trop-plein d'émotions probablement enfouies très profondément. Il se leva de table, alla rincer son verre à l'évier avant de le remplir d'eau et se tint devant la fenêtre, tourné vers l'extérieur.

— Mes parents sont morts dans un accident de voiture quand j'avais dix-neuf ans, dit-il d'une voix rauque. J'étais en première année à l'école des Arts et Métiers. J'ai dû revenir au ranch et m'occuper de Penny dont le juge m'avait désigné tuteur. Sans parler de la ferme, évidemment.

Il fit une pause puis se tourna vers elle.

— Ma femme est morte brutalement d'une rupture d'anévrisme, il y a deux ans.

Il claqua des doigts et continua, amer :

— En un rien de temps. Comme ça. Me laissant seul avec trois enfants.

— Vous aviez Penny, dit-elle, luttant contre le sentiment de compassion qui s'immisçait en elle.

Il se retourna vers la fenêtre et grommela :

24

— J'avais ! C'est bien le mot.

— Elle n'est pas perdue, assura-t-elle. Ce n'est pas parce qu'elle a décidé de vivre sa vie qu'elle vous oublie ou vous rejette, vous et les enfants.

Il lui jeta un coup d'œil et dit :

— Ce ne serait pas plutôt la psychanalyse, le sujet de votre diplôme ?

Elle secoua la tête :

— Non, mais j'aime observer les gens. Vous savez ce que je vois quand je vous observe ?

— Quoi ? demanda-t-il, curieux.

— Un homme qui se complaît à ressasser ses malheurs.

Il posa si brutalement le verre qu'il tenait que l'eau se répandit sur la table. Il lui fit face et, rouge de colère, s'écria :

— Je ne ressasse pas mes malheurs. On m'a attribué les mauvaises cartes dans ce foutu jeu de la vie et je fais avec. Personne n'a le droit de dire le contraire et vous, moins que quiconque. Vu ?

Elle se leva de table et vint se placer devant lui.

— Je n'en ai peut-être pas le droit, mais je persiste à penser que je vois juste. Vous vous complaisez dans votre malheur et vous en voulez à Penny de vous avoir laissé l'entière responsabilité de vos enfants.

Il la saisit aux épaules, ses yeux rivés aux siens, le regard furieux.

— Ecoutez-moi bien, espèce de sale gamine, grinça-t-il entre ses dents serrées, je ne reproche rien à ma sœur sinon d'être partie sans me prévenir suffisamment à l'avance.

Elle ne se laissa pas impressionner par sa sourde colère ni par les mains qui s'enfonçaient dans sa chair et soutint son regard sans faiblir. Pire encore, elle osa lui répondre.

— Elle vous avait prévenu, affirma-t-elle. C'est vous-même qui me l'avez dit ce matin.

Il continuait de la fusiller du regard, la mâchoire serrée mais finalement, il la relâcha, la repoussant loin de lui. Il reprit sa position près de la fenêtre et dit :

— Je n'y ai pas cru. Ce n'était pas la première fois qu'elle annonçait qu'elle partait, sans jamais rien en faire. Alors !

— C'est bien ce que je dis, reprit-elle. Vous êtes furieux qu'elle ait mis sa décision à exécution.

Il fit volte-face, ses yeux gris plus foncés qu'à l'habitude et martela :

— Les enfants ont besoin d'elle. Ils comptent sur sa présence et elle les laisse tomber.

— Ce n'est pas d'elle qu'ils ont besoin, rectifia-t-elle. C'est de vous. Leur père.

— Qu'est-ce qui vous autorise à vous ériger en spécialiste des besoins d'un enfant ? ironisa-t-il en se campant devant elle. D'où sortez-vous ces éminentes compétences ? Qu'est-ce qui vous fait croire que vous savez mieux que moi ce dont mes enfants ont besoin, mademoiselle Òje-sais-tout ?

Elle respira longuement sans baisser les yeux et dit :

— Parce que j'ai été un de ces enfants. Mon père est mort d'une crise cardiaque quand j'avais cinq ans et ma mère ne s'en est jamais remise. Elle s'est suicidée l'année suivante. C'est là où j'aurais eu besoin de mon père.

Elle luttait contre les larmes qui, malgré elle, lui montaient aux yeux.

— De ma mère aussi, mais elle a fui ses responsabilités et m'a abandonnée.

Elle réussit à ne pas pleurer et continua :

— C'est ce qui m'autorise à parler pour eux, pour vos enfants. Je sais de quoi je parle, ne vous en déplaise.

26

Sa voix avait repris de l'assurance et lui enfonçant un doigt vengeur dans la poitrine, elle conclut :

— Quant à vous, si vous voulez que nous fassions un concours de malheurs, c'est quand vous voulez, cher ami. La compétition est ouverte.

2.

Après cet échange musclé avec son employeur, Annie se reprocha d'avoir été trop vive dans ses propos. Mais cela ne dura pas. Au contraire, elle se persuada très vite qu'il l'avait bien mérité, ne serait-ce que par son insistance à la traiter de gamine ! « Sale gamine, même ! », s'indigna-t-elle tout en défaisant les lits des enfants pour en laver les draps.

Il se comportait comme s'il était le seul être au monde à avoir souffert des vicissitudes de la vie. Elle non plus n'avait pas été épargnée. Mais elle avait surmonté les épreuves, accep-tant l'idée que ces événements étaient de ceux que l'existence vous réserve sans qu'on n'y puisse rien. Elle avait fait face et pris sa vie en mains, ce qui n'était pas le cas de David Rawley. Au lieu de faire son deuil, il s'était creusé un trou dans lequel il se réfugiait pour lécher ses blessures comme un animal blessé, repoussant tout contact, toute approche, que ce soit de ses enfants ou de toute autre personne.

Ne voyait-il pas que ses enfants, justement, avaient besoin de lui ? s'irrita-t-elle. Il ne lui avait pas fallu plus d'une semaine, à elle qui n'était qu'une étrangère, pour s'en rendre compte. Son tempérament combatif pointait de nouveau son nez. Elle se demanda si elle réussirait à le forcer à sortir de son trou. Et si cela exigeait d'employer les grands moyens, eh bien, qu'à cela ne tienne ! Elle utiliserait de grands moyens !

Le loup sortirait de son trou à la pointe des baïonnettes si nécessaire !

Enchantée de sa résolution, elle remonta à l'étage et entra dans la chambre du seigneur des lieux pour y prendre les draps du lit. Ce n'était pas la première fois qu'elle entrait dans cette pièce. Penny lui avait fait visiter toute la maison. Toutefois, elle n'y avait pas mis les pieds depuis le retour de David Rawley. Des changements étaient intervenus, nota-t-elle. Une odeur épicée d'après-rasage flottait dans l'air et se mêlait à une autre, celle qu'elle commençait à associer avec le corral et le bétail.

Avec une grimace de dégoût, elle ramassa une paire de chaussettes qui traînait par terre et se rendit dans la salle de bains pour les mettre dans le panier à linge. D'autres signes de la présence de l'occupant lui sautèrent aux yeux : une serviette mouillée avait été abandonnée sur le carrelage après la douche du matin, tout comme la brosse à dents posée sur le rebord du lavabo et un assortiment de pièces de monnaie éparpillé sur le dessus d'un meuble, là où il avait vidé les poches de son jean avant de le laisser tomber sur le sol. Ajoutez à cela, un clou rouillé, un ticket de caisse chiffonné et une vieille plaquette d'aspirine !

Les sourcils froncés, elle ramassa le jean, le mit dans le panier, étendit la serviette et revint dans la chambre. Elle constata que le lit était déjà fait et se demanda s'il le faisait lui-même tous les matins. Elle s'avisa alors que le couvre-lit était froissé et conservait l'empreinte du corps. Apparemment, il n'avait pas pris la peine d'ouvrir le lit avant de se coucher. Elle le défit rapidement et, les draps dans les bras, descendit vers la buanderie. Elle s'arrêta dans le hall, attirée par la série de photos qui décorait le mur. Son intérêt avait été aiguisé par la conversation houleuse qu'elle avait eue avec le maître de maison.

La plupart des photos montraient les enfants à différents stades de leur enfance. Annie les passa en revue, cherchant des photos de David. Elle sourit quand elle le reconnut sur un cliché avec Penny, à l'âge de Tara. Visiblement, il prenait son rôle de tuteur très au sérieux si on en croyait l'attitude protectrice avec laquelle il lui entourait les épaules de son bras.

Elle se fit la réflexion qu'il n'avait pas beaucoup changé. Il avait déjà cette expression sévère et le regard d'acier à vous glacer les os qu'elle avait expérimenté le matin même et, plus tard, dans le jardin.

Avec un soupir, elle s'attarda sur Penny : pas franchement jolie mais non dépourvue d'un certain charme. L'adolescente avait un regard trop sérieux pour son âge, probablement dû aux tragédies qui avaient secoué sa jeune vie.

Bien qu'elle n'ait vécu avec la jeune fille que quelques jours, elle avait l'impression de la connaître au moins aussi bien que son frère. Cela venait du fait qu'elle aimait observer les gens, leurs habitudes, leurs manières d'être. D'autre part, elle attirait les confidences parce qu'elle savait écouter et les gens lui dévoilaient très vite leurs secrets les plus cachés. C'est ce qui s'était passé avec Penny les quelques jours précédant son départ.

Il était grand temps que Penny Rawley prenne son envol, se répéta-t-elle, poursuivant sa progression le long de la série de photos. Depuis la mort de sa belle-sœur, elle s'était consacrée aux enfants et à la maison à entretenir sans penser à elle, à ce qu'elle allait faire de sa vie.

Annie s'arrêta devant une photo de mariés, dans un cadre doré. Jeunes, très jeunes, remarqua-t-elle avec un petit pincement au cœur. Penchant la tête sur le côté, elle se concentra sur le visage de la jeune femme qui, un bouquet de roses blanches dans les mains, regardait d'un sourire radieux son tout nouvel époux. Quelle horrible fatalité qu'elle soit partie si vite ! Pas étonnant qu'il en soit resté marqué, reconnut Annie, se rappelant le claquement de doigts par lequel il avait exprimé la soudaineté de la disparition de la jeune femme. Bien évidemment, il avait été très amoureux et il devait encore trouver injuste que la vie l'ait privé de celle qu'il aimait.

Pensive, elle atteignit la buanderie, y déposa les draps et s'empara d'un grand panier contenant le linge d'une machine précédente qu'elle sortit pour le mettre à sécher. La lumière du soleil et les chants des oiseaux nichés dans le vieux chêne au coin de la maison lui firent oublier ses préoccupations et elle sourit de bien-être dans la tiédeur de cette belle matinée. Elle se mit à fredonner un petit air joyeux tout en attrapant un drap qu'elle étendit sur le fil et fixa avec des pinces à linge. Elle se penchait pour prendre la suite quand une voix la fit sursauter.

— Nous avons un sèche-linge, vous savez !

Les genoux flageolants, elle serra le linge contre sa poitrine dans un réflexe de défense et se retourna, furieuse, pour voir David qui la regardait.

— Arrêtez de faire cela, dit-elle, hargneuse.

— De faire quoi ?

— De vous pointer dans mon dos pour m'espionner sans que je m'en rende compte.

Il haussa les épaules.

— Je ne vous espionnais pas, affirma-t-il.

Il montrait le linge qu'elle tenait toujours et dit :

— Je voulais vous signaler qu'il y a un sèche-linge à votre disposition. Que vous n'êtes pas obligée de vous esquinter le dos et les reins à étendre le linge.

Elle respira à fond et dit :

— Je sais.

31

Ce qu'il ne savait pas, c'était que, depuis son arrivée, elle avait déjà lavé des montagnes de linge et se sentait parfaitement rôdée. Elle se remit à sa tâche, accrocha une taie d'oreiller et déclara :

— Je préfère l'odeur du linge qui a séché en plein air.

Il haussa un sourcil et déclara d'un ton indifférent :

— Cela vous regarde. Après tout, c'est de votre dos qu'il s'agit.

— Exact, dit-elle.

Elle s'accroupit au-dessus du panier à la recherche de la seconde taie d'oreiller et enchaîna :

— A propos de mon dos, verriez-vous une objection à ce que je le mette au travail dans le jardin ? J'aimerais le remettre en état et y planter des légumes.

Il ne répondit pas tout de suite et, au bout de quelques secondes, elle risqua un regard dans sa direction. Il était tourné vers l'enclos, les yeux fixes et la mâchoire serrée tandis que sa pomme d'Adam montait et descendait. Elle se releva et commença :

— Si cela vous ennuie…

Il secoua la tête et s'éloigna, marmonnant :

— Vous êtes libre de faire ce que vous voulez.

Elle le suivit des yeux, perplexe, se demandant ce qui avait bien pu le bouleverser à ce point.

Cependant, elle prit bonne note de la permission accordée et, dès l'après-midi, s'attaqua à défricher le petit enclos. Elle s'étonnait encore de la réaction de David. Elle avait éclairci un carré d'environ un mètre sur un mètre quand elle eut la nette impression que quelqu'un l'observait. Elle leva les yeux et le vit dans l'encadrement de la haute porte de la grange, torse nu, les mains appliquées contre le chambranle. La sueur dégoulinait sur sa poitrine et fonçait le tissu du jean à la hauteur de la taille.

En dépit du chapeau qui lui cachait les yeux, elle devina l'intensité de son regard sur elle et porta la main à sa gorge comme pour se protéger. Sans la toucher, il réussissait à la déshabiller et elle eut l'impression d'être en tenue d'Eve… dans le jardin. Qui plus est, quelque chose, une sorte de courant sexuel et primitif, passa entre eux. Annie sentit son pouls s'accélérer et sa gorge se dessécher. Elle aurait voulu détourner les yeux mais s'en trouva incapable. La bouche ouverte, elle continua de se délecter de l'image virile qu'il offrait, perché là-haut dans le grenier, une hanche de côté, un genou levé. Il avait l'air sûr de lui, irradiait d'une masculinité fascinante, à faire fondre toute femme digne de ce nom. Quand il passa lentement la main sur sa poitrine garnie de poils humides, Annie eut la sensation de la sueur sur ses lèvres, le goût du sel dans la bouche et ferma les yeux.

Quand elle se risqua à les rouvrir, il se détournait et elle étouffa un gémissement de déception.

Elle saisit la binette et se remit à retourner la terre mais ses mouvements étaient plus lents, les forces lui manquaient, drainées par le nœud qui s'était formé au creux de son ventre.

Trop occupée d'elle-même et de ses sensations, elle n'entendit le car de ramassage scolaire qu'au moment où il tourna dans l'allée qui conduisait à la maison. Elle se redressa et s'appuya sur la binette de ses deux mains. Elle se força à respirer à fond et repoussa loin d'elle les pensées licencieuses provoquées par la vue de son employeur.

Le bus s'arrêta à l'entrée du terre-plein et Rachel fut la première à dégringoler les trois marches, traînant son cartable derrière elle.

Annie l'appela et leva la main pour lui signaler sa présence dans le jardin. Rachel posa son cartable par terre, en sortit une feuille qu'elle brandit au-dessus de sa tête et courut vers elle, un grand sourire aux lèvres.

— Annie ! Regarde ! J'ai eu dix sur dix en dictée.

— C'est super, ma chérie, dit Annie. Bravo !

Elle appuya la binette contre la barrière et, s'agenouillant, prit la petite fille dans ses bras. Elle porta toute son attention au document et s'exclama :

— Tu as même les félicitations du professeur. C'est merveilleux.

— C'est parce que je me suis appliquée à bien écrire, dit Rachel.

— C'est vrai.

— Qu'est-ce qu'on mange, ce soir ? dit une voix.

C'était Tara suivie de près par Clay.

— Le dîner n'est pas pour tout de suite, dit-elle, leur souriant également. Mais il y a des légumes, fraîchement épluchés et coupés en morceaux avec une petite sauce : cela pourrait faire un goûter et vous permettre d'attendre le dîner.

Tara roula des yeux et marmonna en s'éloignant :

— De la nourriture pour lapins !

Annie s'étonna de sa réaction et Clay crut bon de la rassurer :

— Ne vous inquiétez pas, dit-il. Elle est dans une de ses mauvaises phases.

— C'est bien ce qui me semble, dit-elle.

Elle se demanda illico si c'était la conséquence de la confrontation qu'elle avait eue le matin avec son père.

— Comment s'est passée ta journée ? demanda-t-elle au garçon.

— Comme d'hab'.

Elle le taquina :

— Tu as fait des conquêtes ?

Il regarda le bout de ses chaussures et rougit :

— Non.

Annie éclata de rire :

— Ce sera pour demain alors, dit-elle.

Il rougit encore plus et creusa la terre avec le bout de sa chaussure :

— Qu'est-ce que vous êtes en train de faire ? demanda-t-il abruptement.

— Tu vois : je prépare la terre pour y planter des légumes.

Elle se tourna vers le jardin et soupira :

— Cela va être plus difficile que je le pensais.

— Est-ce que papa est au courant ?

— Oui, bien sûr, répondit-elle, un peu surprise de sa question. Pourquoi ?

D'un coup d'épaules, il remit son sac d'école en place.

— Oh rien, dit-il. C'est parce que personne n'a touché à ce jardin depuis la mort de maman.

— Oh ! dit-elle, comprenant aussitôt la réaction de David. Je ne savais pas.

— Pas grave, dit Clay. C'est juste un bout de terrain.

Elle se dit alors que ce bout de terrain représentait tout autre chose pour David et que sa demande avait dû réveiller des souvenirs douloureux. Elle se dit aussi qu'il était trop tard pour en éprouver du regret et se tournant vers Clay, interrogea :

— Tu as faim ?

Il sauta en l'air comme un cabri et dit :

— Je *meurs* de faim !

Annie prit Rachel par la main et passa un bras autour des épaules de Clay. Tous les trois se dirigèrent vers la maison.

— Que dirais-tu d'un peu de nourriture pour lapins ? demanda-t-elle.

— Sans problème, dit-il.

— Clay !

Le garçon se figea sur place en entendant son père l'appeler. David se tenait devant la porte de la grange, le visage sombre, les bras croisés.

— Oui, papa ?

— Ton travail t'attend.

— Est-ce que je peux goûter avant de m'y mettre ?

Son père se contenta d'un froncement de sourcils et Clay soupira :

— D'accord. J'y vais.

Se tournant vers Annie, il dit :

— Désolé. J'avalerai quelque chose quand j'aurai fini.

Elle lui sourit, le débarrassa de son sac qu'elle se passa à l'épaule et dit :

— Je te prépare un petit en-cas.

Elle le vit se diriger vers la grange et passer devant son père qui n'avait rien perdu de son air sévère. Elle se demanda si David Rawley avait toujours été aussi désagréable ou si le décès de sa femme lui avait fait perdre toute joie de vivre.

— Tu me permets d'utiliser le motoculteur pour retourner le jardin ? demanda Clay à son père. Cela aiderait Annie.

Penché sur le moteur d'une machine qu'il réparait, David lança un coup d'œil à son fils, fronça les sourcils et reprit son examen de la bougie fautive.

— Tu as autre chose à faire, dit-il.

— Quand j'aurai terminé ? insista Clay. Cela ne me prendrait pas longtemps alors qu'Annie va y passer des jours si elle fait cela à la binette.

— Il y a des choses plus importantes à faire que de retourner la terre du jardin, dit David.

— Quoi, par exemple ?

Surpris de l'audace de son fils, David laissa tomber la clé anglaise qu'il tenait et prit un air de plus en plus contrarié.

— Les clôtures du pré près de la rivière ont besoin d'être réparées, dit-il. Les bêtes que j'ai installées dans l'étable doivent être nourries et abreuvées. L'abri qui protège le puits attend un coup de peinture, etc.

La tête baissée, Clay poussa du pied le foin qui jonchait le sol et constata d'un ton maussade :

— Il y a toujours quelque chose à faire dans cette ferme.

Prenant appui sur ses genoux, David se releva.

— Exact et il en sera toujours ainsi, dit-il, jetant la clé anglaise sur l'établi d'un geste impatient, tant que tu te lamenteras sur les tâches que tu as à accomplir au lieu de les faire rapidement et sans te plaindre.

— Je ne me plaignais pas, dit Clay. Je voulais rendre service à Annie.

— Si la nounou veut un jardin, qu'elle se débrouille.

— Tu ne veux pas que je l'aide parce que tu ne peux pas la sentir, déclara Clay.

David fourragea parmi les outils, répugnant à reconnaître que son fils n'avait peut-être pas entièrement tort.

— Je n'ai pas dit cela.

— Pas besoin de le dire, remarqua judicieusement l'adolescent. Ça se voit ! Mais, nous, on l'aime. Elle est super chouette. Et drôle avec ça. Elle dit ou fait des trucs qui nous font rire.

« Comme si je ne l'avais pas remarqué ! ironisa David *in petto*. Une qualité de plus à son actif ! »

— Qu'elle soit chouette ou non n'est pas la question. La question est que tu as des tâches à accomplir.

Clay changea de ton et, presque suppliant, dit :

— Ne la renvoie pas, s'il te plaît, papa. On l'aime vraiment.

Son père se retourna vivement pour le regarder et s'écria :

— Qu'est-ce qui te fait dire cela ? Je n'ai pas l'intention de la renvoyer !

— Tu dis cela, mais si tu lui rends la vie impossible, elle ne voudra pas rester et s'en ira.

Ce qui serait peut-être bien la meilleure solution pour tout le monde, estima David, jetant un œil soupçonneux sur son fils.

— Tu ne serais pas amoureux d'elle, par hasard ? demanda-t-il.

Clay rougit jusqu'aux oreilles et protesta :

— Elle est bien trop vieille pour moi !

David reprit sa place à l'établi et dit :

— Tu ne serais pas le premier garçon à s'amouracher d'une femme plus âgée. Après tout, elle est jeune et plutôt pas mal.

— Pas mal ! s'écria Clay, spontanément. Tu veux rire ! Elle est super bien roulée.

— Roulée ! s'étonna David.

Les joues en feu, Clay expliqua :

— Elle est bien foutue. Une supernana, quoi !

David n'en revenait pas de constater que son fils n'avait pas les yeux dans sa poche et savait apprécier les... qualités plastiques du sexe opposé.

— A ton âge, tu ne devrais pas remarquer ce genre de choses, dit-il.

— Tu parles ! rétorqua Clay. Il faudrait être aveugle pour ne pas s'en rendre compte.

Cette remarque eut le don d'agacer prodigieusement David. D'un mouvement du menton, il lui montra la porte et ordonna :

— Assez parlé. Au travail, mon garçon.

Clay enfouit les mains dans ses poches et murmura un « Oui, papa » qui manquait d'enthousiasme.

Son père le suivit des yeux, le vit prendre le seau qui servait à nourrir les bêtes et s'éloigner en direction de l'étable. Pour la première fois, il remarqua que son fils commençait à se muscler, qu'il avait considérablement grandi ces derniers temps et qu'il marchait d'un pas plus allongé qu'avant.

Il se demanda où était passé le petit garçon fluet affligé de membres trop longs, celui qui trouvait toutes les filles idiotes. Ce même petit garçon qui, il n'y a pas si longtemps, se souvint-il, levait sur son père un regard empreint d'adoration.

Jusqu'à ces derniers jours, David Rawley n'avait jamais eu à se plaindre de la taille de sa maison. Effectivement, c'était un vaste bâtiment à étage que ses parents avaient fait construire juste avant sa naissance et qui avait été conçu pour une famille nombreuse avec assez d'espace pour que chacun s'y sente à l'aise.

Cependant, depuis l'arrivée de la nounou, il lui semblait que la maison avait rétréci, tout comme le ranch, d'ailleurs, et les bâtiments de la ferme. Il ne pouvait faire un pas sans se heurter à la jeune femme.

Que ce soit dans la maison, dans la grange, sur la terrasse ou sous le porche, il fallait qu'il la rencontre d'une manière ou d'une autre, se heurtant à elle et entrant en contact physique avec elle sans l'avoir cherché. Obligé de lui mettre la main sous le bras pour l'empêcher de tomber, ou bien, elle, le tenant à distance de ses deux mains pour éviter qu'il ne la bouscule en tournant un coin. Ces brefs contacts commençaient à lui porter sur les nerfs et à mettre de l'électricité dans l'air.

Une fois remis de la surprise du début, il avait considéré la situation calmement. Pris de court par la décision de Penny, il n'avait pas vraiment le choix, avait-il remarqué, et devait s'estimer heureux qu'elle lui ait laissé Annie. C'est pourquoi, en dépit de son hostilité à la présence d'une étrangère chez lui, il avait fait contre mauvaise fortune, bon cœur. Cependant, il n'avait pas été long à comprendre que le fait qu'elle soit jeune et « bien roulée », qu'elle soit une « supernana », pour employer les mots de son fils, ne serait pas sans entraîner quelques problèmes.

Le premier problème étant que la jeune femme avait envahi son esprit. A sa grande surprise, il passait son temps à penser à elle et avait du mal à se concentrer sur son travail. Il se demandait où elle était, ce qu'elle faisait et comment elle était habillée aujourd'hui.

Pour autant qu'il ait pu s'en rendre compte, sa garde-robe consistait essentiellement en jeans coupés plus ou moins courts, en débardeurs largement échancrés et quelques autres vêtements du même genre, tous plus révélateurs de son anatomie les uns que les autres. Et si cela n'avait pas suffi à distraire un pauvre homme, elle avait cette fichue manie de fredonner qui, immanquablement, captait son attention et attirait son regard là où il n'avait rien à faire.

Ce soir ne faisait pas exception à la règle.

Les enfants étaient couchés et ils avaient tout le rez-de-chaussée pour eux deux. Bien qu'il fît semblant d'être absorbé par la lecture de son journal, il était intensément conscient de sa présence au salon, là, à quelques pas de lui, à quelques centimètres de la pointe de ses bottes. Elle était assise sur le tapis, occupée à trier le linge d'un grand panier posé à côté d'elle et, bien sûr, chantonnait un petit air entraînant.

Elle leva les yeux et le surprit en flagrant délit de la regarder. Elle pencha la tête d'un air interrogateur et lui sourit. Il replongea aussitôt dans son journal et tourna la page, prétendant se passionner pour les nouvelles du jour.

Quelques instants plus tard, il risqua un œil et la vit tendre le bras vers une pile de serviettes un peu éloignée. Ce mouvement fit remonter le short encore plus haut et il aperçut la bordure du slip sur la peau plus claire de la fesse que le soleil n'avait pas touchée. Cette vue le troubla à un tel point qu'il laissa échapper un sourd grognement.

— Vous avez dit quelque chose ? demanda-t-elle.

— Non, dit-il, se réfugiant derrière le journal, honteux d'avoir laissé paraître son trouble. Je ne faisais que m'intéresser à la météo. Ils disent qu'il fera dans les quinze, dix-huit degrés demain.

— Surprenant pour la saison, dit-elle, s'appuyant sur ses coudes. On a du mal à croire qu'on est seulement en mars. Qu'est-ce que cela doit être en été, ici ? J'ai du mal à imaginer.

S'il en croyait la température de son propre corps, David aussi avait du mal à imaginer que cela pouvait être pire. Conscient qu'il ne tiendrait plus longtemps, vu l'état dans lequel il se trouvait, il se leva pour quitter la pièce tant qu'il pouvait encore marcher.

— Vous allez vous coucher ? s'étonna-t-elle.

— Oui, grommela-t-il, lui tournant rapidement le dos et se dirigeant vers le hall et le havre de sa chambre.

— Faites de beaux rêves, l'entendit-il dire.

Ne vous en faites pas, faillit-il répliquer. Des rêves version trois X, en noir et en couleurs, qui ne le lâchaient plus depuis l'arrivée, chez lui, de la nouvelle nounou !

Annie savait que son côté « assistante sociale » lui avait valu bien des déboires au fil des années. Malgré ces expériences malheureuses, elle ne pouvait s'empêcher de chercher une solution aux problèmes qui menaçaient l'équilibre de la famille Rawley.

En effet, depuis le retour de David, les signes annonciateurs d'une crise s'étaient accumulés. Tara n'était plus la même : l'adolescente dynamique et extravertie s'était renfermée et boudait la plupart du temps, préférant rester cloîtrée dans sa chambre qu'en compagnie de sa famille. Clay, lui, le garçon timide facile à contenter, n'était plus qu'un paquet de nerfs qui sursautait au moindre bruit comme s'il s'attendait à tout instant à une catastrophe. Rachel, la petite chérie qui avait suivi Annie dans tous ses déplacements, sensible aux sourires et aux encouragements, s'accrochait aux jambes de sa nounou comme si elle craignait de la voir disparaître et de se retrouver abandonnée, livrée à elle-même.

Ces changements d'attitude, constata Annie, étaient dus au retour du père, ce qui l'attristait et la poussait à essayer de réagir.

Du fait d'avoir perdu très tôt ses parents, elle attribuait une grande valeur aux relations familiales et elle se désolait de voir que les Rawley ne profitaient pas de la chance d'être ensemble, de ce qu'ils avaient à s'apporter les uns aux autres. Que pouvait-elle faire pour qu'ils prennent conscience qu'ils étaient en train de gâcher la plus belle période de leur vie ?

« Ne te prends pas pour Dieu tout-puissant, se reprocha-t-elle, tu n'es que la nounou. »

Elle vérifia que son appareil photo était chargé, le passa à son épaule et sortit avec l'idée de prendre quelques clichés typiques de la vie au ranch. Cela la distrairait de ses préoccupations et serait un début à cette carrière de journaliste dans laquelle elle voulait se lancer.

David entra dans la grange, s'arrêtant un instant pour permettre à sa vision de s'ajuster au changement de luminosité. Puis, il alla droit à l'établi et prit l'outil qu'il était venu chercher pour régler le carburateur qu'il était en train de bricoler. Soudain, il tendit l'oreille car il avait perçu un léger bruit au-dessus de sa tête. Il leva la tête vers les poutres et jura à voix basse quand des débris de foin et de poussière lui tombèrent dessus. Il se protégea de son bras, chassa la poussière de ses yeux et grogna, furieux : « Si c'est encore ce foutu putois ! »

Il enfonça la clé anglaise dans sa poche et alla vers l'échelle qui menait au grenier. Arrivé en haut, il passa la tête dans l'ouverture, balaya du regard ce qu'il pouvait voir. Ne remarquant rien d'anormal, il enjamba l'échelle et passa dans le grenier sans faire de bruit pour ne pas effrayer le putois et ne pas risquer d'être aspergé par l'animal en colère. Sur la pointe des pieds, il prit le passage étroit entre les balles de foin qu'il avait engrangées l'été précédent, examinant les moindres recoins. Il atteignit l'extrémité du grenier sans rien détecter et s'apprêtait à rebrousser chemin quand il entendit comme un ronronnement.

Il écouta, revint en arrière avec le sentiment que cela venait de la dernière rangée tout au fond. Il se glissa entre le mur et le foin, maudissant la chaleur qui le faisait transpirer de sorte que sa chemise lui collait à la peau. Quand il arriva à l'autre extrémité, là où le toit rejoignait le mur, il faillit s'étrangler de surprise. Annie était à plat ventre sur le plancher, ses pieds nus levés, un appareil photo à la main.

— Qu'est-ce que vous fabriquez ? demanda-t-il

— Chut, lui intima-t-elle avec un geste impératif de la main.

Il se courba pour ne pas se taper la tête contre les poutres et s'approchant, s'accroupit à côté d'elle. Il suivit la direction de l'objectif, braqué vers le coin le plus reculé, là où la poussière dansait dans un rayon de lumière entre les tuiles.

— Grands dieux, murmura-t-il.

Il mit ses coudes sur ses genoux et se laissa prendre par le tableau qui s'offrait à lui.

Une maman chatte le regardait sans cligner des yeux, entourée de ses chatons nouveau-nés accrochés à ses tétons gonflés qu'ils tétaient goulûment. L'appareil d'Annie était en action, prenant photo sur photo de cette scène touchante.

Au bout d'un moment, elle s'arrêta et il sentit une main prendre la sienne. Il la vit se relever, le doigt sur les lèvres pour lui enjoindre de garder le silence. Elle l'aida à se remettre debout et le précéda vers l'entrée. Quand ils arrivèrent à la trappe, elle lâcha sa main pour saisir les montants de l'échelle et le visage levé vers lui, s'exclama doucement :

— Cool, non ? dit-elle.

Il s'étonna de l'adjectif qui lui aurait paru plus approprié dans la bouche de sa fille mais reprit sans sourciller :

— Très cool.

— On devrait leur apporter une couverture et de la nourriture, dit-elle, les yeux brillant de bonne volonté.

Il sauta au sol et se rembrunit.

— Non, dit-il. C'est un chat de ferme qui chasse les souris. Elle sait se débrouiller.

— Mais…

— Non, redit-il fermement.

Avec un soupir, elle leva les bras pour faire passer la bretelle de l'appareil par-dessus sa tête, libérant ses cheveux. David ne put s'empêcher de remarquer que son T-shirt trempé de sueur adhérait à son buste, révélant que, de toute évidence, elle ne portait rien dessous. Les pointes de ses seins étaient dressées et tendaient le mince coton. Fasciné par ce spectacle, il gardait les yeux rivés sur la poitrine de la jeune fille, incapable de détourner le regard.

Elle mit un genou au sol pour mieux ajuster le cache de l'objectif et reprit :

— Ces chatons n'étaient-ils pas adorables ? Qu'est-ce que vous en dites ?

Dans cette position, à genoux devant lui, Annie était inconsciente que le décolleté de son débardeur révélait plus que son interlocuteur n'en pouvait supporter. Bien que son regard soit toujours fixé au même endroit, David eut le sentiment qu'elle attendait une réponse à sa question et marmonna, indifférent :

— Adorables.

Il serra les lèvres tentant d'étouffer le gémissement de plaisir qui menaçait de lui échapper en réaction au filet de sueur qui coulait entre les seins, offerts à sa vue.

Elle releva la tête, s'aperçut qu'il regardait son buste et jeta un œil à son T-shirt. Avec un soupir, elle se remit debout et dit :

— Vous ne me verriez pas faire un concours de tours de poitrine, c'est cela ?

Captivé par les mouvements de ses seins quand elle se releva, David n'avait pas saisi ce qu'elle venait de dire. Il réussit à en détacher le regard et demanda :

— Vous disiez ?

Elle rit doucement, ajusta la bretelle de l'appareil à son épaule et répéta :

— Je disais qu'avec mon tour de poitrine, je n'aurais aucune chance de décrocher la timbale dans un concours. Mais je m'en fiche, ajouta-t-elle avec un éclair de défi dans les yeux.

— J'ai toujours trouvé que s'il y en avait assez pour la main d'un homme, c'était largement suffisant, dit-il sans réfléchir.

Il ne savait pas pourquoi il avait eu envie de lui faire connaître ses préférences, mais quand Annie s'exclama sur un ton ironique : « J'en ai de la chance ! » il comprit qu'elle souffrait d'avoir de petits seins et cherchait à le cacher.

Il s'approcha, passa la main sous la bandoulière pour la remonter sur l'épaule et leva les sourcils quand elle le regarda.

— C'est moi qui ai de la chance, dit-il.

Il vit les yeux verts le scruter, devenir plus foncés et sentit comme un courant électrique passer entre eux. Les doigts enroulés autour de la bretelle, il regarda sa bouche. Elle pointa la langue et se la passa lentement sur les lèvres, ce qui provoqua chez lui une réponse immédiate... sous le jean.

Il se mouilla aussi les lèvres, se demandant quel effet cela ferait de l'embrasser, quel goût aurait sa bouche insolente. Gêné de s'être laissé aller à de telles pensées, il leva les yeux et la vit qui se posait la même question.

Qui prit l'initiative ? Question futile. Leurs lèvres se joignirent, d'abord légèrement, puis avec une telle urgence qu'il en ressentit les effets jusque dans la pointe des pieds. Qui poussait pour plus et mieux, se demanda-t-il vaguement ? Lui ou Annie ? Aucune importance.

Il resserra ses mains sur les épaules rondes, dans l'intention de la repousser, d'arrêter cette folie avant qu'elle ne les entraîne trop loin. Ce fut alors qu'elle lui passa les bras autour du cou et glissa sa langue entre ses lèvres.

Il aspira le goût de sa bouche, la laissant jouer avec sa langue. Cependant, il essayait de se convaincre que c'était une erreur, qu'elle était trop jeune pour lui, la nounou de ses enfants... tout en l'entourant de ses bras. Car aucun raisonnement n'aurait pu le persuader de la relâcher, le faire se détacher d'elle et de sa bouche. Il y avait trop longtemps qu'il n'avait tenu une femme dans ses bras, qu'il avait senti toute cette douceur féminine pressée contre lui, contre la rigidité de son sexe. Trop longtemps qu'il n'avait connu l'ivresse de se perdre dans une telle intimité.

Il explora son corps de ses mains, se repaissant de la peau satinée, de la chaleur qui venait à la rencontre de sa propre fièvre. Tel un homme après un long séjour dans le désert, il s'enivra sans retenue de toucher les courbes qu'il découvrait. Goulûment, avidement, cherchant à étancher une soif sans fin.

Quand Annie gémit de plaisir et se colla à lui, il se servit à son tour de sa langue pour explorer sa bouche et satisfaire, au moins partiellement, la montée subite du désir qui le frappa de haut en bas, comme un coup de tonnerre dans un ciel d'été. Il avait envie d'elle, réalisa-t-il, une envie impérieuse qui lui fit resserrer son étreinte. Rien ne pourrait satisfaire cette envie à moins de céder à l'impulsion de la faire basculer dans le foin et de...

A cette idée, il revint brutalement sur terre. Il prit conscience de ce qu'il était en train de faire et... d'imaginer et avec qui. Il s'arracha à leur baiser, recula d'un pas, la respiration haletante. Il vit son visage que le plaisir avait rosi, ses lèvres gonflées et recula encore, tournant le dos à la jeune femme.

— Je suis désolé, dit-il, les poings fermés.

— Pas moi, répondit-elle.

Il fit volte-face, étonné de sa réponse.

— Quoi ? fit-il.

Elle haussa les épaules, réajustant la bretelle de son appareil et déclara :

— Je ne regrette pas.

— Pourquoi ?

— Parce que vous embrassez très bien, dit-elle avec un clin d'œil. Et que j'aime qu'un homme sache se laisser aller à embrasser une femme s'ils en ont tous les deux envie.

Il la regarda quelque peu abasourdi. A reculons, elle marcha vers la porte de la grange et ajouta :

— Si l'envie vous en prend de nouveau, appelez-moi. Je ne suis jamais très loin.

Sur ces mots, elle lui fit un petit signe de la main, tourna les talons et sortit en fredonnant le même petit air joyeux qu'il avait si bien appris à reconnaître.

3.

D'ordinaire, David s'endormait dès qu'il avait la tête sur l'oreiller. Quand, à la mort de sa femme, il s'était mis à souffrir d'insomnies, il avait cherché le remède dans le travail et s'était donné, sans compter, aux soins du bétail et à toutes les tâches épuisantes que requérait la ferme. Jusque-là, la méthode s'était avérée extrêmement efficace.

Toutefois, ce soir-là, en dépit d'une dure et longue journée, le sommeil le fuyait. Il avait travaillé sans relâche, ne s'arrêtant même pas pour déjeuner. Pour tout dire, il n'avait pas eu le courage d'affronter la nounou-cuisinière-intendante. Pas après la scène qui s'était déroulée dans la grange : le baiser qu'ils avaient échangé et ce qu'il avait ressenti quand il avait tenu dans ses bras le corps souple et chaud de la jeune femme.

Encore moins depuis qu'elle lui avait fait savoir qu'elle était disponible pour renouveler l'expérience si l'envie lui en prenait de nouveau.

Avec un juron de colère, il sortit du lit et arpenta la chambre, se passant une main nerveuse dans les cheveux. Il fallait qu'il arrête de penser à elle, s'admonesta-t-il. Il fallait qu'il se débarrasse des images qui l'assaillaient. Sans parler des souvenirs précis qui ne le quittaient pas : celui de ses hanches dans ses mains, des lèvres humides qui s'ouvraient sous les siennes, prêtes pour le plaisir. Les gémissements qui lui avaient échappé. Les petits seins, ronds et fermes, les pointes dressées contre son torse. Les fesses rondes qui se raidissaient dans l'attente de…

Il jura de nouveau et s'ordonna d'arrêter de penser à cette fille. Ne voyait-il pas qu'elle était un danger, une source d'ennuis ? Il l'avait deviné au premier coup d'œil. Lui qui, pendant deux ans, avait réprimé tout désir de contact sexuel avec une femme, voilà qu'au bout d'une semaine avec cette créature dans la maison, il ne pensait plus qu'à la mettre dans son lit ! Beau travail !

Il n'y avait qu'une seule façon de résoudre le problème, résolut-il. Il attrapa son jean, l'enfila à la hâte et finit de le boutonner comme il arrivait à la porte. Il devait la renvoyer, se dit-il. La chasser de la maison. C'était cela ou bien il en perdrait la raison. A moins qu'il ne cède à la tentation. Or, il refusait l'une et l'autre possibilités.

Se sentant investi d'une mission urgente, il monta l'escalier quatre à quatre, tourna à droite dans le couloir et frappa à la porte de la belle.

Il entendit un bruit sourd et une voix ensommeillée qui murmura : « Un instant… » Il croisa les bras sur sa poitrine, arbora son air le moins engageant et attendit. Quelques secondes plus tard elle ouvrit la porte, finissant de nouer la ceinture de son déshabillé. Debout dans l'encadrement, éclairée par la lumière de la lampe de chevet, elle cligna des yeux et s'inquiéta :

— Quelque chose ne va pas ?

— Oui, dit-il, furieux de voir qu'elle dormait du sommeil du juste alors que cela faisait des heures qu'il se retournait dans son lit, obsédé par son image.

— Il faut qu'on parle.

D'une main, elle releva les cheveux qui lui tombaient sur le visage et le regarda d'un air étonné.

— De quoi ? demanda-t-elle.

Il jeta un coup d'œil aux portes des chambres des enfants puis revint vers elle et dit :

— Je peux entrer ? Je ne voudrais pas réveiller les enfants.

— Oui, dit-elle, visiblement ahurie de sa demande.

Elle recula pour le laisser entrer. Il ferma la porte, non sans avoir de nouveau vérifié que le couloir était désert.

Il s'arrêta, la regarda traverser la pièce pour aller s'asseoir sur le lit et se sentit encore plus frustré car toutes les images qui avaient défilé dans sa tête étaient là, devant lui, en chair et en os, plus éprouvantes que jamais. Comment se faisait-il qu'elle soit aussi attirante, s'indigna-t-il, alors qu'il venait de la réveiller au milieu de la nuit ? Pas normal ! En dépit du peignoir froissé et de ses ongles de pieds peints en bleu, elle était séduisante en diable !

— Il faut que vous partiez, jeta-t-il, tout d'un trait.

Annie écarquilla les yeux de surprise :

— Quoi ?

Il leva la main en un geste d'impuissance et répéta :

— Il faut que vous partiez. Cela ne marche pas.

Elle se leva lentement, les joues enflammées de colère et répliqua :

— Cela ne marche pas pour qui ? Pour vous ou pour les enfants ?

— Pour tout le monde, dit-il d'une voix trop forte. Je vous paierai un mois de compensation et je vous ferai une lettre de recommandations. Mais il faut que vous partiez. Demain matin aux aurores.

Elle resserra les pans de son peignoir autour d'elle et dit :

— Je ne veux rien de vous sinon ce qui m'est strictement dû. Quant à vos recommandations, je n'en ai que faire.

Elle levait la tête vers lui et, lui voyant des larmes aux yeux, il se sentit mal à l'aise.

— Ne prenez pas cela comme une injure personnelle, dit-il, se passant la main dans les cheveux.

— Si mon renvoi de votre maison n'est pas une injure personnelle, s'indigna-t-elle, je me demande ce que c'est ! J'ai fait mon travail comme je le devais. Je me suis occupée des enfants : j'ai surveillé leurs activités et apaisé les disputes, exactement comme me l'avait demandé votre sœur. J'ai fait la cuisine, le ménage et lavé le linge. Votre maison est en ordre et bien tenue. Qu'avez-vous à me reprocher ?

David aurait bien voulu lui répondre mais aucun argument ne lui vint à l'esprit.

— Vous êtes très jeune, dit-il un peu bêtement.

Il réprima un frisson de désir quand elle dirigea vers lui un menton provocant et il ne put que s'écrier à nouveau :

— Vous êtes trop jeune !

— Je ne suis pas beaucoup plus jeune que votre sœur, rétorqua Annie. Cependant, vous trouviez normal de lui faire confiance et de laisser vos enfants sous sa responsabilité.

— C'est parce qu'elle est ma sœur, à la fin, hurla-t-il et que je n'ai jamais eu envie de la basculer dans le foin de la grange pour prendre mon plaisir avec elle.

— Papa ?

David sursauta et, se retournant vivement, vit Clay dans l'encadrement de la porte, son bas de pyjama sur les hanches et les cheveux ébouriffés. Il cligna des yeux et se pencha de côté pour voir Annie. Son père s'avança pour lui bloquer la vue, se demandant ce que son fils avait entendu de leur conversation.

— Qu'est-ce que tu fabriques debout à cette heure ? demanda-t-il sèchement. Tu devrais être au lit en train de dormir.

Sans répondre, Clay lança un regard soupçonneux à son père et demanda :

— Qu'est-ce que tu fais dans la chambre d'Annie ?

— On discute.

— Tu l'engueulais, accusa-t-il. Je t'ai entendu de ma chambre.

Annie s'avança, touchée de la sollicitude de Clay à son égard et dit :

— Tout va bien, Clay. Retourne te coucher. On discute. C'est tout.

Le regard de l'adolescent alla de son père à Annie, manifestement peu désireux de les laisser seuls. Puis il murmura :

— Tara est malade.

— Quoi ? s'écria Annie. Qu'est-ce qu'elle a ?

— Je ne sais pas, dit Clay, haussant les épaules. Je l'ai entendue vomir dans la salle de bains. Mais elle s'est enfermée à clé et a refusé de m'ouvrir.

D'un même mouvement, Annie et David se précipitèrent vers la porte, s'empêchant mutuellement de passer. Ce fut Annie qui réussit à se faufiler la première dans le couloir. Elle courut vers la salle de bains et colla son oreille à la porte. Après un moment à guetter le moindre bruit de l'autre côté de la porte, elle appela :

— Chérie, c'est Annie. Tu n'es pas bien ?

David la bouscula pour la faire s'écarter, et, tapant du poing sur la porte, ordonna :

— Tara ! Ouvre cette porte immédiatement !

Annie lui lança un regard de désapprobation et dit :

— Vous allez la perturber encore plus avec vos hurlements.

— Dommage ! répondit-il.

Secouant violemment la poignée de la porte, il cria :

— Tara, je te donne trois secondes pour ouvrir cette porte. Sinon, je vais chercher mes outils et je la démonte. Un, deux…

La porte s'ouvrit brusquement et Tara sortit, les bras serrés sur sa poitrine, affichant le même visage fermé que depuis le retour de son père.

— Es-tu malade ? demanda ce dernier.

— Qu'est-ce que ça peut bien te faire ? rétorqua-t-elle, se dirigeant vers sa chambre.

David l'attrapa par le bras et la fit se retourner.

— Clay nous a dit que tu avais vomi. Vrai ?

Tara fusilla son frère du regard et lui lança :

— Mouchard !

David lui secoua le bras et réitéra sa question :

— Tu es malade ? Oui ou non ?

Lentement, elle leva les yeux sur son père et dit :

— J'ai vomi. Oui. Quelque chose que je ne digère pas, probablement. Mais, maintenant, je vais bien.

Annie qui n'avait rien perdu de cet échange était dubitative et la vue d'une brosse à dents abandonnée près des toilettes ne fit que renforcer ses soupçons.

David, rassuré par ce que sa fille venait de dire, lui lâcha le bras.

— Bon, très bien, dit-il. Maintenant, retournez vous coucher.

Il attendit que les jumeaux soient rentrés dans leurs chambres pour se tourner vers Annie. Il avait repris son air désagréable et annonça :

— Nous allons poursuivre notre conversation en bas.

Annie regarda la porte de Tara et le prévint :

— Je vais voir Tara avant de descendre. Je veux être sûre qu'elle va bien.

— Faites vite, dit-il, se dirigeant vers l'escalier.

Elle se rendit dans la salle de bains, ramassa la brosse à dents et alla frapper à la porte de Tara, priant le ciel de s'être trompée.

Tara lui ouvrit, le visage toujours aussi fermé et demanda :

— Qu'est-ce que vous voulez ?

Annie ouvrit la main, montrant la brosse à dents.

— J'ai trouvé cela, par terre, dans la salle de bains, dit-elle.

Tara rougit, un éclair d'inquiétude dans les yeux. Mais elle se reprit aussitôt, s'empara de la brosse.

— J'ai dû la faire tomber pendant que je vomissais, lança-t-elle avant de claquer la porte au nez d'Annie.

Celle-ci resta un instant devant la porte close puis descendit au rez-de-chaussée. Elle trouva David affalé sur sa chaise, et s'assit à sa place, en face de lui. Incapable de garder ses doutes pour elle-même, elle dit :

— Elle a menti.

Il la regarda sans comprendre.

— Qui ça ?

— Tara.

Elle s'enfonça sur sa chaise, la main sur l'estomac car elle-même avait la nausée à l'idée du mal que Tara pouvait se faire si ses doutes étaient fondés.

— Pourquoi mentirait-elle ? demanda le père. Elle dit qu'elle a mangé quelque chose qui ne lui convenait pas. C'est possible.

Annie prit le temps de respirer, cherchant les mots justes pour faire comprendre à David la gravité de la situation.

— C'est vrai qu'elle a vomi, dit-elle. Mais pas parce qu'elle ne digérait pas quelque chose qu'elle avait mangé. *Elle s'est fait vomir.*

— Pourquoi diable ferait-elle une chose pareille ? demanda-t-il, éberlué.

— Pour attirer votre attention, dit Annie.

Il se redressa sur sa chaise et s'exclama :

— N'importe quoi ! Encore une de vos inventions ! Qui se ferait vomir pour attirer l'attention des autres ?

Annie se pencha au-dessus de la table, décidée à lui ouvrir les yeux.

— Qui ? interrogea-t-elle. Une adolescente qui cherche à entrer en contact avec son père. Elle a treize ans ; elle subit les transformations de son corps et l'influence de ses hormones. Il suffit d'un rien pour qu'elle passe du bonheur le plus complet à la déprime totale en l'espace d'un instant. C'est le moment où elle a le plus besoin de l'attention de ses parents.

David se leva brusquement et se mit à arpenter la pièce.

— De parents, elle n'en a qu'un, grommela-t-il. Moi. Et elle sait que je l'aime.

— Comment le sait-elle ? demanda Annie. Il vous arrive de le lui dire ?

Il ouvrit la porte du réfrigérateur et gronda :

— Elle le sait.

— Mais, est-ce que vous le lui dites ? insista Annie.

Il referma brutalement la porte du réfrigérateur, décapsula la canette qu'il tenait à la main et, rejetant la tête en arrière, en but une longue gorgée. Puis il brandit la canette en direction d'Annie et proclama :

— Je n'ai pas besoin qu'on vienne me donner des conseils pour savoir comment élever mes enfants.

56

— Ce n'est pas mon intention, dit-elle, se levant également. Savez-vous ce qu'est la boulimie ?

— Tara n'est pas boulimique, affirma-t-il un peu trop fort. Elle est mince comme un fil et n'a aucune raison de vouloir perdre du poids.

— Je n'ai pas dit qu'elle l'était, dit Annie. Mais la semaine dernière, elle m'a parlé de ses cours de Bio et m'a dit qu'ils étudiaient les troubles de la nutrition. Elle m'a paru très frappée par le fait qu'une personne peut être atteinte de boulimie ou d'anorexie sans que son entourage s'en aperçoive.

Annie savait qu'elle allait outrepasser les limites de ses attributions mais ne voyait pas comment faire autrement. Elle prit son courage à deux mains et dit, calmement :

— Je pense qu'elle vous met à l'épreuve. Elle cherche à se prouver qu'elle a raison, que vous ne faites pas attention à elle et qu'il pourrait lui arriver n'importe quoi sans que cela vous atteigne.

— C'est ridicule, protesta-t-il. J'aime ma fille.

— Là n'est pas la question, dit-elle. C'est ce que Tara perçoit et s'imagine qui compte. Or, elle considère que tout le temps que vous passez hors de la maison prouve votre manque d'affection pour elle.

— Et qu'est-ce que vous proposez ? s'indigna-t-il. Que je laisse la ferme aller à vau-l'eau et que je passe mon temps à jouer à la poupée avec ma fille ?

— Il y a longtemps qu'elle ne joue plus à la poupée, remarqua Annie. Ce n'est pas ce que je veux dire. J'essaie de vous faire comprendre que Tara passe par une période difficile et qu'elle a plus que jamais besoin de l'amour de son père. Je m'inquiète de ce qu'elle pourrait faire pour attirer votre attention.

Il bouscula sa chaise d'un geste impatient et s'écria :

— Heureusement que vous partez ! Vous n'aurez donc plus à vous faire de souci pour la sécurité de Tara.

— Croyez-vous que le moment soit bien choisi pour me faire remplacer ? demanda-t-elle.

Il mit ses mains sur ses hanches et, avec un rire sarcastique, s'exclama :

— C'est donc cela ! C'est votre propre sécurité que vous essayez de protéger, pas celle de Tara !

Annie s'efforça de ne pas répondre à une telle provocation comme elle en avait envie. Seule Tara et l'urgence qu'il y avait à la préserver comptaient.

— Elle a perdu sa mère, dit-elle. Sa tante, l'autre femme en qui elle avait confiance, est partie. Je ne crois pas que me renvoyer soit une bonne chose à faire. Elle m'a acceptée, tout comme son frère et sa sœur. Un autre changement, si tôt après le départ de Penny, pourrait conduire à la catastrophe, surtout pour Tara. Je la vois très bien faire une fugue ou… pire.

Il pâlit et la regarda longuement. Elle vit que, peu à peu, ce qu'elle avait osé suggérer faisait son chemin dans son esprit. Il se dirigea vers l'évier et s'appuya lourdement sur le bord, le regard tourné vers la fenêtre.

— Vous pensez qu'on pourrait en arriver là ? demanda-t-il d'une voix sourde.

— Je n'en sais rien, reconnut honnêtement Annie. Je sais seulement qu'elle traverse une période de rébellion. Or, les statistiques prouvent que les tentatives de suicide chez les adolescents en difficulté sont malheureusement nombreuses. C'est pourquoi elle a besoin de stabilité, d'une surveillance constante et… de beaucoup d'amour.

Il baissa la tête et une sorte de gémissement lui échappa. Bien qu'elle sût qu'il avait du mal à la supporter et qu'il s'apprêtait à la chasser de chez lui, Annie eut envie de le serrer dans ses bras et de le réconforter. Elle n'eut pas le temps de céder à la tentation. Il releva la tête. Une expression mitigée se peignit sur ses traits et c'est d'une voix chargée d'émotion qu'il dit :

— D'accord, ne partez pas. Restez. Je ne peux pas prendre le risque de perdre aussi ma fille.

Les jours qui suivirent, Annie se demanda souvent si elle avait bien fait d'insister pour rester chez les Rawley. Depuis l'incident de la salle de bains, Tara fuyait la compagnie des autres membres de la famille à la grande inquiétude de sa nounou.

Quant à David, en dépit de ses avertissements, il se montrait encore plus aveugle et entêté qu'avant. Il passait le plus clair de son temps à l'extérieur de la maison, sans se soucier de ce qui pouvait bien arriver à ses enfants ou à leur gouvernante.

Pas question de renoncer, décida-t-elle ce jour-là, se dirigeant vers le jardin pour y passer sa colère sur les mauvaises herbes. Qu'il l'évite, elle, n'avait pas d'importance. Elle était adulte et pouvait assumer son hostilité à son égard. Quoique ! Elle se sentait frustrée et perplexe devant la volonté manifeste de David d'ignorer l'attirance qu'il ressentait pour elle. D'autant qu'elle le trouvait terriblement séduisant. Toutefois, ce qui l'inquiétait, c'était qu'il évite ses enfants. Il fallait qu'elle invente quelque chose pour les réunir, un prétexte à faire quelque chose ensemble. Mais quoi ? Elle n'en avait encore aucune idée.

En arrivant en vue du jardin, elle s'arrêta, bouche bée. La terre avait été retournée et des sillons, prêts à être ensemencés, s'alignaient d'un bout à l'autre du terrain. Un coup d'œil au motoculteur garé près de la barrière lui fit comprendre qui était l'auteur de cette surprise de taille.

Pourquoi David Rawley avait-il pris la peine de labourer le jardin ?

Au même moment, elle entendit le bétail meugler dans le corral où le fermier avait travaillé toute la matinée. Un nuage de poussière flottait dans l'air, soulevé par les sabots des bêtes qui tournaient en rond dans l'enclos. Elle aperçut David au milieu des animaux, le chapeau gris de poussière, la chemise collée au torse par la sueur tandis que les bêtes, comme d'un commun accord, s'éloignaient, pleines de méfiance à l'égard de ce bipède qui s'était immiscé au milieu de leur groupe.

Elle s'attarda à observer la scène, se demandant ce qu'il faisait et si elle oserait l'interrompre pour le remercier d'avoir labouré le jardin. Indécise, elle vit alors le chien, un berger australien, dont la posture l'intrigua. Assis dans un coin du corral, il semblait attendre les ordres du fermier, prêt à intervenir.

Fascinée, elle réalisa que cela ferait une excellente photo et courut vers la maison chercher son appareil. Elle revint, ajusta le zoom et s'avança lentement pour ne pas perturber ce qui se passait sous ses yeux. Elle braqua le zoom sur le chien et réussit à prendre plusieurs clichés avant que les bêtes ne viennent s'interposer. Elle modifia l'ouverture du diaphragme et se concentra sur David. Grâce au zoom, elle distingua nettement les auréoles de sueur sur sa chemise, la poussière sur son visage et l'expression déterminée qui le désignait comme le maître du troupeau : l'homme face à l'animal. Le cow-boy des temps modernes.

Si les photos qu'elle prenait en rafales étaient aussi bonnes qu'elle le pensait, elle les enverrait à une revue animalière ou à un de ces magazines consacrés à la vie des fermiers dans l'Ouest américain. Elle continua de braquer l'objectif sur David, enregistrant ses gestes, ses expressions, la détermination qui se lisait dans ses yeux. Elle frissonna d'appréhension quand il tint tête à un veau qui lui résistait. Puis, elle le vit sourire de satisfaction quand il réussit à séparer des autres le veau qu'il avait choisi. Un vague sentiment de plaisir lui noua l'estomac.

— Roscoe !

Le chien bondit de son poste, la langue pendante, la queue dressée. Au signal de son maître, il s'aplatit sur le sol et se dirigea lentement vers le veau qu'il approcha par l'arrière. Il talonna l'animal, le fit avancer vers un couloir dans lequel il finit par s'engager. David referma aussitôt la barrière sur la bête.

— Super ! s'écria Annie après quelques photos supplémentaires.

Au son de sa voix, Rawley tourna la tête et fronça les sourcils en apercevant l'appareil photo qu'elle portait en bandoulière.

— Qu'est-ce que vous faites ? demanda-t-il d'une voix impérieuse.

Elle sourit, décidée à ne pas se laisser impressionner par sa rudesse.

— Je prends des photos de ce que vous êtes en train de faire, dit-elle. C'est extra. Que de mouvement ! Et que d'émotions !

Il se rembrunit encore plus et dit :

— Cela s'appelle « travailler ».

Il prit une énorme seringue sur un banc près du couloir et Annie, intriguée, demanda :

— C'est pour faire quoi ?

— Vacciner les bêtes, dit-il.

Il prit la peau de la bête au niveau de l'épaule entre ses doigts, et plongea l'aiguille.

Annie prit une photo et sursauta quand l'animal meugla.

— Cela lui a fait mal ? demanda-t-elle.

— Non, dit David. Il proteste parce que je l'ai séparé de ses copains.

Elle ne sut pas si elle devait le croire mais son attention fut attirée par ce que David avait maintenant en main : un genre de tenailles. Elle se haussa sur la pointe des pieds pour mieux voir et questionna :

— Qu'est-ce que vous allez faire avec ça ?

— Le marquer à l'oreille.

Elle se crispa quand il plaça l'engin à l'oreille de la bête et appuya.

— Je suis sûre que ça fait mal, dit-elle.

Il lui lança un regard de commisération et remit l'instrument dans sa poche sans autre commentaire.

— Pourquoi faites-vous cela ? demanda-t-elle, désireuse de s'informer en vue de l'article qu'elle écrirait pour accompagner les photos.

— Pour l'identifier.

— Je croyais qu'on les marquait au fer, dit-elle.

Il soupira, visiblement agacé par ses questions.

— Je ne marque au fer que les animaux que j'ai l'intention d'inclure dans mon troupeau. Ceux-là sont destinés à être engraissés et vendus avant l'hiver.

— Oh !

Avant qu'elle ait pu formuler une autre question, il jeta :

— Vous n'avez rien d'autre à faire que de traîner dans les parages à poser des questions idiotes et à prendre des photos ?

Elle pensa au jardin et à la montagne de repassage qui l'attendait dans la maison, mais mit sa main derrière son dos et croisa les doigts.

— Rien du tout, répondit-elle gaiement.

Du menton, il indiqua le camion garé non loin de là et dit :

— Alors, rendez-vous utile et allez me chercher la tablette et les documents que j'ai laissés sur le siège.

Heureuse de participer un tant soit peu à son travail, elle courut vers le camion, déposa son appareil sur le siège et revint avec.

— Voilà, dit-elle, passant le bras entre les planches.

Occupé à retenir un veau, David lui fit signe de venir les lui apporter là où il était, dans le couloir.

Après un coup d'œil inquiet aux bêtes qui continuaient leur ronde à deux pas de là, elle se glissa entre les planches et se redressa de l'autre côté de la barrière. Marchant de côté pour éviter l'animal, elle arriva à la hauteur David et lui tendit la tablette.

— Numéro 12. Black Angus. Mâle, dit-il.

— Quoi ?

— 12. Black Angus. Mâle, répéta-t-il. Ecrivez.

Elle comprit enfin son intention, sortit le crayon de son emplacement et nota les informations.

Il relâcha le veau et, s'essuyant les mains sur son jean, ajouta :

— Mettez la date dans la colonne « vaccins ».

Elle fit ce qu'il lui demandait et serrant la tablette contre elle, demanda :

— C'est tout ?

— Pour celui-là, oui. Aux autres, maintenant.

Elle ouvrit de grands yeux et s'écria :

— Il faut qu'on les fasse tous ?

Il y avait encore trente ou quarante bêtes dans le corral et David fit signe que « oui ».

Puis il s'approcha de la séparation et demanda :

— Si vous vous mettez juste là, devant l'ouverture, pensez-vous être capable d'empêcher celui-là de sortir ?

— Ou... oui, dit-elle, jetant un œil méfiant à l'animal.

— A mon signal, dégagez. Roscoe fera entrer le prochain. Vu ?

Elle se mit à l'endroit qu'il lui avait indiqué, non sans jeter un coup d'œil anxieux à l'animal qui se tenait à l'autre extrémité de l'étroit espace. Impressionnée par sa taille, elle réprima un frisson et se concentra sur David. Il s'avançait au milieu du troupeau, observant les bêtes, sans crainte d'être jeté à terre ou blessé par une corne agressive.

— Tenez-vous prête, cria-t-il, ayant choisi le veau qu'il voulait détacher du troupeau. Roscoe !

Annie vit le chien s'élancer et poussa un cri quand une masse énorme la frappa dans le dos. Elle perdit l'équilibre, tenta d'amortir sa chute mais atterrit à plat ventre dans la poussière tandis que l'animal sautait au-dessus d'elle, lui écorchant le dos avec un de ses sabots.

— Pourquoi l'avez-vous laissé passer ? s'enquit la voix irritée de David au-dessus d'elle.

Etourdie, elle cligna des yeux plusieurs fois avant de réaliser ce qu'il avait dit.

— Je ne l'ai pas laissé passer, s'indigna-t-elle, crachant la poussière qu'elle avait dans la bouche.

— Vous étiez censée faire barrage ! insista David.

Elle se souleva sur les coudes tandis que lui, les mains sur les hanches, la regardait avec colère.

— C'est ce que j'ai fait ! protesta-t-elle. Il m'a renversée et il a sauté au-dessus de moi.

— Vous auriez dû l'en empêcher, dit-il sèchement.

Elle se mit sur les genoux, toujours crachant ce qu'elle avait dans la bouche, et le fusilla du regard.

— Je ne suis pas Calamity Jane, moi ! dit-elle les mains sur les hanches. J'ai fait ce que vous m'avez dit et ce n'est pas ma faute si le fichu taureau a réussi à sortir.

— Alors, c'est la faute à qui ? hurla-t-il, furieux. Vous deviez bloquer la sortie.

Annie commençait à perdre patience et choisit de se remettre sur ses pieds. Mais quand elle se releva, une douleur fulgurante la fit se plier en deux, haletante.

— Qu'est-ce qui se passe ? demanda David.

— Je crois qu'il m'a blessée, dit-elle.

Dans cette position, sa vision était réduite à la surface autour de ses pieds. Elle vit les bottes de David s'approcher et sentit qu'il posait la main sur son dos.

— Où ?

Elle respira à petits coups et dit :

— Juste au-dessus de ma taille.

Elle sentit ses doigts relever le débardeur, ses phalanges effleurant sa colonne vertébrale. Comme il ne disait mot, elle se tordit le cou pour l'apercevoir et fut surprise de l'expression de transe qui se peignait sur son visage.

— C'est grave ? demanda-t-elle.

Il parut revenir à la réalité, ôta sa main et finit par dire :

— Non. Une simple écorchure.

— Ce n'est pas ce que mon dos me dit, dit-elle, se relevant lentement avec des grognements de souffrance.

— J'ai ce qu'il faut dans le camion, dit-il. Je vais le chercher.

Elle réussit à sortir du corral et s'assit par terre en attendant son retour. Quand il s'approcha, elle leva les yeux vers lui et demanda, inquiète :

— Vous n'allez pas me faire mal ?

Il s'accroupit près d'elle, la mallette sur les genoux et dit :

— Cela va vous piquer un peu.

Elle lui jeta un regard anxieux et le vit déchirer un petit paquet.

— Qu'est-ce que c'est ?

— De la gaze imbibée d'eau oxygénée. Un désinfectant. Pour la blessure.

— Blessure ? s'affola Annie. Je croyais que ce n'était qu'une simple écorchure !

— Du pareil au même, dit-il, rabaissant son chapeau pour cacher ses yeux.

— Si c'était votre dos, vous feriez la différence ! répliqua-t-elle vivement.

Il lui fit signe de se retourner, ce qu'elle fit, lui présentant son dos et lui demandant :

— Allez-y doucement. D'accord ?

Elle le sentit soulever son débardeur et le remonter sur ses épaules. Plusieurs secondes s'écoulèrent sans qu'il ne se passe rien et elle lui lança un coup d'œil par-dessus son épaule.

— Vous y allez ou pas ? demanda-t-elle.

— J'y vais, dit-il d'une voix enrouée.

Il se mit à genoux, se rapprocha d'elle de façon à enserrer les hanches d'Annie entre ses cuisses.

Fermant les yeux, les poings serrés, Annie courba le dos pour lui faciliter la tâche et s'apprêta à hurler s'il se montrait brutal. A sa grande surprise, le toucher du fermier s'avéra étonnamment léger, presque doux. Elle sursauta au contact du liquide frais sur sa peau tiède. Il ôta aussitôt sa main et demanda :

— Je vous ai fait mal ?

66

— Non, mais c'est froid.

Il poussa un soupir de soulagement et continua de nettoyer la plaie. Puis, jetant la gaze, il prévint :

— Je vais mettre une crème antibiotique pour éviter l'infection.

— Faites, docteur, dit-elle.

Elle l'entendit fourrager dans la mallette puis les doigts légers appliquèrent l'onguent. Elle n'eut pas à se plaindre du traitement qui n'avait rien de très pénible, juste une sensation de picotement à l'endroit blessé. Elle referma les yeux, bercée par le massage de la main qui faisait pénétrer la pommade.

— Vous aurez peut-être un peu mal demain, dit-il.

— Demain ! s'écria-t-elle, indignée. Vous voulez dire, maintenant.

— Où avez-vous mal ? demanda-t-il.

Elle passa un bras derrière elle et indiqua un point sensible dans son dos, au-dessus de la taille juste en dessous de l'écorchure.

— Là, dit-elle.

Il appliqua le bout de ses doigts à l'endroit qu'elle montrait et appuya légèrement.

— Oui, c'est cela.

Il accentua la pression, malaxant le muscle endolori. Elle baissa la tête, arrondissant encore plus le dos, et mit ses bras autour de ses genoux. Elle se mit à fredonner un air sur le même rythme que les doigts qui s'affairaient le long de sa colonne vertébrale. Elle frémit de bien-être quand il descendit jusqu'à sa taille et pria le ciel qu'il ne s'arrête pas. Elle sentit que les paumes de ses mains remontaient sur les côtés avec une lenteur étudiée, comme au ralenti. Ce n'était plus d'un massage qu'il s'agissait. Annie se demanda s'il réalisait ce qu'il était en train de faire et à qui.

Car il ne lui avait jamais caché l'aversion qu'il éprouvait à son endroit. D'autre part, elle doutait fort qu'il lui offre ce nouveau genre de relaxation en compensation de la blessure dont il se serait senti responsable. Ce n'était sûrement pas non plus par bonté d'âme. Pour autant qu'elle sache, il ne savait même pas ce que c'était !

Au fur et à mesure que les mains de David remontaient, elle délaissa ses réflexions pour s'abandonner à la douceur de la sensation sur sa peau, à la force tranquille des mains qui caressaient son buste, la douceur, la rugosité du bout des doigts. Un nœud de chaleur se noua en elle, réveillant ses nerfs endormis.

Elle ne put retenir un frisson quand il atteignit ses seins et se mordit les lèvres quand les mains se refermèrent sur eux.

Tendue, elle attendit, ne sachant ni que dire, ni que faire. Elle l'entendit respirer plus fort et sentit son souffle sur son cou ainsi que le tremblement qui l'agitait comme s'il essayait de se contrôler. Lentement, il pressa ses seins, enfonçant ses doigts dans leur douceur de velours. Elle ferma les yeux, saisie de vertige, vibrante dans l'attente de ce qui allait venir et un sourd gémissement de plaisir anticipé franchit ses lèvres.

David sursauta, retira ses mains et se leva d'un bond. Surprise et… déçue, elle le regarda par en dessous mais, éblouie par le soleil, ne vit pas son visage.

— Voilà. C'est fini, dit-il.

Qu'il fasse semblant d'ignorer ce qui venait de se passer entre eux stupéfia Annie. S'agrippant à la barrière, elle se mit debout et lui fit face.

— Pardon ? dit-elle. Allez-vous prétendre qu'il ne s'est rien passé ? Je rêve !

Il la regarda et elle recula d'un pas, stupéfaite de voir dans ses yeux se refléter un désir primitif, quasi insoutenable.

Toutefois, il se maîtrisa rapidement et, se détournant, déclara :

— Rentrez à la maison. Je finirai de m'occuper du bétail tout seul.

4.

David parvint à gagner la grange, hors de portée des regards de cette Annie du diable et s'arrêta. Avec un grognement de fureur, il envoya à toute volée la mallette des premiers soins contre la porte du fond. Le couvercle céda et tout l'intérieur se répandit sur le sol. D'un œil hagard, il regarda les objets éparpillés, aussi essoufflé que s'il avait couru le marathon, le corps agité de tremblements comme s'il avait vu un fantôme.

Il avait posé les mains sur elle, se dit-il, pris de vertige à cette simple idée. Juste ciel, il avait posé les mains sur Annie !

Il ouvrit et ferma les mains, sentant encore au bout de ses doigts la texture satinée de sa peau, la douce chaleur de sa peau qui l'avait incité à remonter le long de ses côtes. Le moelleux merveilleux de ses seins tandis que les bouts se dressaient sous la caresse de ses doigts.

Il ferma les poings, essayant d'oublier qu'il s'était comporté comme un stupide adolescent, travaillé par ses hormones. Un gamin qui aurait peloté sa première fille sur le siège arrière de la voiture de papa.

Ce qui le mettait encore plus en rage, c'était qu'il n'avait qu'une seule envie en tête : recommencer !

Il jura tout haut et tourna sur lui-même, se passant la main dans les cheveux. Il fallait qu'il soit fou. Complètement fou, pour s'être comporté de cette manière ! Il n'était plus un enfant et savait bien qu'elle l'attirait. Ne s'était-il pas promis de garder ses distances ? N'avait-il pas décidé de ne rien avoir à faire avec elle, de ne rien éprouver ? Il s'en voulait de n'avoir pas su se retenir. Toutefois, il gardait un goût amer dans la bouche. Un goût de frustration.

— David ?

Au son de sa voix, il grogna de déplaisir et enfonça encore plus la main dans sa tignasse.

— Qu'est-ce que vous me voulez ?

— Je ne vous ai pas remercié d'avoir retourné le jardin.

Il respira longuement, abaissa ses mains, et, le regard obstinément tourné vers le mur du fond, répliqua :

— C'est fait. Maintenant, allez-vous-en !

— Pourquoi êtes-vous en colère contre moi ? demanda-t-elle.

— Je ne suis pas en colère.

Il l'entendit claquer de la langue en signe de protestation et souhaita de toutes ses forces qu'elle le croit et s'en tienne là. Mais il savait qu'elle n'en ferait rien, qu'elle n'était pas du genre à lâcher sa proie. Effectivement, elle lança :

— Menteur !

Il prit le temps de respirer à fond, essaya de se détendre, de ne pas se montrer agressif dans l'espoir que cela la convaincrait de partir.

— J'ai dit que je n'étais pas en colère, affirma-t-il.

— Alors, pourquoi évitez-vous de me regarder ? interrogea-t-elle.

Il se retourna lentement, les poings serrés pour se donner le courage de l'affronter.

— Voilà, je vous regarde et vous pouvez voir que je ne suis pas en colère, dit-il. Etes-vous satisfaite ?

Elle pencha la tête sur le côté, sembla réfléchir et finalement, dit :

— Non. Je suis loin d'être satisfaite.

Elle croisa les bras et, s'approchant, l'examina.

— Vos poings sont serrés, ce qui dénote une certaine agitation intérieure. Je vois un petit muscle, là, près de la tempe…

Elle voulut poser le doigt à cet endroit mais, d'un geste brusque, il s'esquiva. Elle se retint de sourire et termina :

— Un petit muscle beaucoup trop crispé.

Il s'énerva :

— Fichez-moi la paix, à la fin ! Pourquoi, grands dieux, ne rentrez-vous pas à la maison faire votre travail ?

— Parce que c'est malsain.

Il leva les bras au ciel.

— Pour qui ?

— Pour vous.

Il fit un pas vers elle et, d'un air menaçant, gronda :

— Ecoutez-moi bien, espèce de sale gamine, si vous ne voulez pas avoir de gros ennuis, rapatriez dare-dare votre petit derrière insolent à la maison et gardez-le au frais.

Le sourire d'Annie s'élargit. Elle jeta un œil par-dessus son épaule et demanda :

— Vous trouvez que mon derrière a l'air insolent ?

Avec un soupir de désespoir, il se prit la tête dans les mains.

— Allez, David, le cajola-t-elle, lui caressant le cou. C'est si dur d'admettre que je ne vous déplais pas ?

Il essaya d'ignorer les doigts sur son cou, mais en vain, tout comme il avait échoué à se débarrasser d'elle.

— Est-ce que cela vous aiderait si je vous disais que vous ne me déplaisez pas non plus ?

Son visage était tout près du sien, si près qu'il sentait son souffle sur son oreille et qu'il en avait des frissons tout le long du dos. Le fait qu'elle reconnaisse être attirée par lui faillit être la goutte d'eau qui fait déborder le vase. Qu'était-il censé répondre à cela ? Comment pouvait-il lui résister ? Lui qui aurait bien voulu la jeter sur le sol et lui faire l'amour tout son soûl ! A quoi jouait-elle ? Avait-elle décidé de le séduire, de le pousser dans ses derniers retranchements ?

Conscient qu'il devait trouver la force de la renvoyer à ses fourneaux avant de perdre complètement la tête, il se redressa et la regarda dans les yeux. Alors qu'il s'attendait à lui voir un air taquin, aguicheur, il ne vit, dans les grands yeux verts tournés vers lui, que compassion et sincérité. Il lui aurait été plus facile de résister à un numéro de séduction, cela lui était déjà arrivé. Mais la sincérité sans apprêt d'Annie le prit de court.

— Annie, commença-t-il.

Elle lui passa la main sur la joue tandis qu'une expression de compréhension se peignait sur son visage.

— Arrêtez, grogna-t-il en écartant sa main.

— David…, insista-t-elle.

— Arrêtez, reprit-il plus fort.

Il s'éloigna en lui tournant le dos. Lorsqu'il entendit son soupir de reddition, il ne se retourna pas.

— Très bien, dit-elle doucement, je n'insiste pas. Mais il faudra bien, qu'un jour, vous vous relâchiez, que vous laissiez s'exprimer toutes ces émotions que vous refoulez. Ou alors, vous allez attraper un de ces ulcères !

Ravie de sa découverte, Annie passa l'après-midi dans la cuisine, à chantonner gaiement tout en repassant ou en épluchant des légumes.

En fin de matinée, et bien que David eût affirmé que la chatte, là-haut, était parfaitement capable de subvenir à ses besoins, elle était montée au grenier. Elle avait emporté une vieille couverture et des restes de nourriture pour le confort de sa protégée. Mais là, surprise ! Quelqu'un l'avait devancée. La chatte et ses petits reposaient sur une couverture de cheval avec de l'eau et de la nourriture dans des bols, placés à proximité. David, évidemment !

Elle fut tentée de courir lui révéler qu'elle savait mais il nierait avoir fait quoique ce soit ou prétendrait que cela n'avait pas d'importance.

Ainsi, se dit-elle, sous ses apparences de brute, il était capable de se laisser attendrir ! Il voulait lui faire croire qu'il n'était que dureté et froideur alors, qu'en fait, il dissimulait une face cachée qu'elle commençait à entrevoir. Cette face cachée, estima-t-elle, il suffisait de la stimuler pour qu'elle se dévoile au grand jour. Pour son bien et pour le bénéfice de son entourage.

Elle entendit arriver le bus et sortit accueillir les enfants. Les jumeaux remontaient l'allée, Rachel à la traîne, cueillant des fleurs sauvages pour en faire un bouquet.

Elle s'aperçut qu'elle était heureuse de les voir revenir à la maison, qu'elle s'était attachée à ces enfants étrangers plus qu'elle n'aurait cru.

— Comment s'est passée la journée ? demanda-t-elle.

— Moche, dit Tara.

— Comme d'hab, dit Clay.

Il confia son sac à sa sœur et, sans enthousiasme, se dirigea vers la grange où ses tâches l'attendaient.

— Tiens, prends ça, dit Annie, lui tendant un sac en papier avec un air de conspirateur et un clin d'œil. Je t'ai préparé un petit en-cas.

Il ouvrit le sac et renifla.

— Des cookies au beurre de cacahuètes ?

— C'est ceux que tu préfères, non ?

Le visage de l'adolescent s'éclaira d'un grand sourire et il dit « Merci, Annie ! » avant de s'éloigner, la bouche pleine.

Annie sentit qu'on tirait sur son chemisier et vit Rachel, le visage levé vers elle.

— Et moi ? dit la petite fille, je vais aussi en avoir des cookies au beurre de cacahuètes ?

— Non, dit Annie.

Elle éclata de rire devant l'air déconfit de Rachel.

Elle mit un genou sur le sol pour être à sa hauteur et lui pinça le nez, disant :

— Toi, tu auras des cookies aux pépites de chocolat. C'est ceux que tu préfères, non ?

— Et Tara, elle aura quoi ?

Annie se releva et vit Tara entrer dans la maison.

— Des cookies aux grains de sucre.

Cela aiderait peut-être l'adolescente à se dérider, espérat-elle.

Ce samedi matin, les « filles » étaient réunies dans la cuisine pendant que David et Clay travaillaient aux champs.

— Papa nous aime pas, déclara soudain Rachel.

Annie qui préparait des sandwichs, leva brusquement la tête, surprise de la remarque de l'enfant.

— Evidemment que votre papa vous aime, grosse bête, dit-elle.

La petite fille secoua ses couettes d'un air obstiné et répéta :

— Non, il nous aime pas. C'est Tara qui l'a dit.

Annie se tourna vers Tara qui, à l'autre bout du comptoir, enveloppait les sandwichs dans du film alimentaire.

— C'est toi qui as raconté cela à Rachel ? interrogea-t-elle.

Tara ne leva pas les yeux mais haussa les épaules et dit sur un ton de défi :

— Et alors ? C'est la vérité.

Annie posa son couteau et prit Tara par les épaules, cherchant son regard.

— Votre père vous aime, assura-t-elle.

Comme Tara persistait à baisser les yeux, elle lui leva le menton, la forçant à la regarder.

— Il vous aime, redit-elle, les yeux dans les yeux. Je le sais.

— Alors, pourquoi n'est-il jamais avec nous ? demanda Tara, les larmes aux yeux.

Emue, Annie la prit dans ses bras et dit :

— Parce qu'il a trop de travail.

Elle la serra contre elle et ajouta :

— Faire marcher un ranch de cette taille exige beaucoup de travail et beaucoup d'énergie.

Elle se rendit compte que ses arguments étaient de peu de poids pour une fille de treize ans en mal d'affection. Elle la tint à bout de bras et assura :

— Cela va changer.

— Sûr, se moqua Tara. Il suffit qu'on dise à papa d'arrêter de travailler pour qu'il nous obéisse !

— Pas impossible, affirma Annie, si on lui prépare un super pique-nique pour le déjeuner !

— Un pique-nique ! cria Rachel, folle de joie. On va pique-niquer pour le déjeuner ?

— Pourquoi pas ?

Rachel tapa dans ses mains et se mit à danser et à sauter dans tous les sens.

— Au lieu d'attendre que Clay vienne chercher leurs sandwichs, on en fait pour tout le monde et on va leur porter dans le champ. On trouvera bien un coin ombragé pour s'y installer. Tara, tu sors le panier. Rachel, prends les cookies que j'ai faits ce matin.

En quelques minutes, tout était prêt. Elles portèrent le panier dans la voiture d'Annie, y ajoutèrent une couverture et, sans tarder, prirent la direction du champ où les hommes travaillaient depuis le matin.

Bientôt, elles arrivèrent à la barrière et Annie aperçut Clay sur un tracteur, traçant des sillons tandis que David suivait, conduisant l'ensemenceuse.

Annie longea en cahotant la clôture jusqu'à un bosquet d'arbres. Là, elle s'arrêta et klaxonna plusieurs fois. Elles sortirent de la voiture et Annie dit à Tara :

— Déballe le pique-nique. Je vais me poster au bout du champ pour leur faire signe quand ils arriveront de ce côté.

Se plaçant au plus près, Annie fit de grands signes à Clay qui, intrigué, arrêta le tracteur.

— Déjeuner, dit-elle, ça te dirait ?

— Tu parles ! dit le garçon.

Il tira le frein à main et sauta à terre.

Annie attendit que David se rapproche et se força à garder le sourire malgré l'air sévère qu'il affichait.

— On vous a apporté déjeuner, dit-elle.

Il se renfrogna encore plus et grogna :

— Clay aurait été le chercher, dit-il.

— Je sais, mais on a pensé que pique-niquer avec vous serait plus drôle.

Sans plus attendre, elle lui tourna le dos et s'éloigna vers le bouquet d'arbres où les filles avaient installé la couverture.

Elle s'assit et proposa :

— Un peu de limonade, Clay ?

Elle lui tendait un verre en plastique et ouvrit la thermos.

— Oui, je veux bien.

Il s'intéressa au contenu du panier et tendit la main pour fouiller les victuailles :

— Qu'est-ce que vous avez apporté ?

— Des sandwichs, idiot, dit sa jumelle.

Elle lui donna une tape sur la main :

— Enlève tes grosses pattes de là : elles sont sales. Je vais te servir.

Il la laissa jouer les hôtesses et demanda :

— Qu'est-ce que tu me proposes ?

— Thon, poulet ou fromage ?

— Les trois ! dit-il.

Elle lui fit les gros yeux et lança :

— Espèce de goinfre !

Clay ne perdit pas son sourire pour si peu et répliqua :

— Je ne suis pas un goinfre mais un travailleur manuel qui a bien mérité son déjeuner.

Annie sourit de cette affirmation, heureuse d'entendre les jumeaux se taquiner. Rachel demanda un sandwich au fromage et Tara eut vite fait de préparer les assiettes et de les faire passer.

— Annie ? demanda-t-elle.

— Poulet, s'il te plaît.

Tara avait perdu son expression renfrognée des derniers jours et se détendait, remarqua-t-elle.

David se rapprocha et ce fut elle qui s'enquit :

— Et pour vous ?

— Qu'est-ce qu'il y a ? grommela-t-il.

Elle énuméra les possibilités et il choisit le thon. Il s'assit à l'autre bout de la couverture aussi loin que possible du petit groupe. Tara lui prépara une assiette qu'il prit sans rien dire. Voyant la déception de Tara, Annie expliqua :

— Les filles m'ont beaucoup aidée.

David demeura silencieux tandis que Clay faisait semblant de s'étouffer.

— C'est Tara qui a fait mon sandwich ? s'exclama-t-il en portant la main à son estomac. Au secours ! Je vais mourir empoisonné !

Tara lui donna une tape sur le bras. Clay prétendit qu'elle l'avait durement frappé et s'écroula en arrière avec des gémissements de douleur. Rachel hurla de rire devant les grimaces de son frère et se mit à le chatouiller, aidée en cela par Tara. Tous les trois étaient à présent engagés dans une bagarre qui faisait plaisir à voir. Un vrai divertissement !

Sauf pour leur père.

— Tenez-vous correctement, dit-il sèchement. Clay, ne traîne pas trop. Le travail nous attend.

Sur ces mots, il reprit un sandwich et... la direction du champ.

Cela fit sur les enfants l'effet d'une douche froide. Ils obtempérèrent immédiatement et reprirent leurs places. Un silence lourd de déceptions s'installa. Tara avait retrouvé ses yeux tristes et son expression fermée. Elle prit son assiette, se leva et en vida le contenu intact dans le sac prévu pour les déchets. Puis elle alla à la voiture, s'assit à l'intérieur et claqua la portière.

Quant à Annie, même si elle avait le cœur brisé, elle fit des efforts surhumains pour ne rien en montrer et éviter d'accroître la morosité ambiante.

Ce soir-là, quand les enfants furent couchés, Annie attendit le retour de David avant de regagner sa chambre. Elle espérait être en mesure de lui parler calmement du pique-nique, de lui faire comprendre qu'il avait gâché le plaisir des enfants et les avait profondément blessés.

Elle s'assit sur la première marche du porche en chemise de nuit, les bras entourant ses genoux. La tombée de la nuit avait apporté une fraîcheur bienvenue après la chaleur insolite de l'après-midi. Elle regarda le ciel : une foison d'étoiles sur un fond de velours sombre et un croissant de lune assez bas sur l'horizon.

Dans le lointain, on entendait les bœufs meugler et plus près, le crissement des insectes qui dansaient la ronde dans la lumière de la lampe accrochée à la grange.

Elle qui avait toujours vécu en ville, au milieu des immeubles, des lumières et du bruit, soupira d'aise. Elle se surprenait elle-même car elle n'aurait jamais pensé être capable d'apprécier le calme de la campagne.

Toutefois, ce sentiment fut de courte durée car David s'approchait. Il n'était pas sorti de l'ombre qu'elle savait déjà à quoi s'attendre. A sa démarche, à ses épaules rejetées en arrière, elle comprit que son humeur ne s'était pas améliorée depuis l'heure du pique-nique.

Elle resserra ses bras autour de ses genoux, se préparant à l'affronter. A regret, elle s'efforça d'oublier le frémissement d'excitation qui s'insinuait en elle.

— Qu'est-ce que vous faites là ? demanda-t-il.

Elle se força à sourire et à ne pas se laisser impressionner par le ton rude et dit :

— Je vous attendais.

Il eut un grognement sarcastique, passa devant elle et dit :

— Il est tard. Je vais me coucher.

Elle l'attrapa par la jambe de son jean et le força à s'arrêter.

80

— Asseyez-vous, dit-elle, les yeux levés vers lui. Je vous en prie. J'ai à vous parler.

Il eut un instant d'hésitation, puis, poussant un soupir résigné, s'assit sur la marche à côté d'elle. Il enleva son chapeau, s'essuya le front avec sa manche et remit le chapeau en place.

— Faites vite, dit-il. Je suis fatigué.

— Je sais. Vous avez travaillé sans vous arrêter depuis ce matin à l'aube.

— Sûr qu'il y a toujours du travail qui attend, dit-il.

— Je m'en doute, dit-elle.

Elle froissait entre ses mains le tissu de son déshabillé, ne sachant pas comment aborder le sujet qui la préoccupait.

— C'est à propos du pique-nique de cet après-midi, commença-t-elle.

Il émit son grognement sarcastique et se mit debout, prêt à s'en aller.

— Pas de temps à perdre pour ces balivernes, déclara-t-il.

Elle l'attrapa une nouvelle fois par son jean et plaida :

— Ecoutez-moi.

A la façon dont il tirait sur le tissu, elle comprit qu'il cherchait à éviter toute discussion à ce sujet. Cependant, comme elle ne lâchait pas prise, il finit par se rasseoir, enleva son chapeau qu'il posa sur ses genoux.

— Dites ce que vous avez à dire et qu'on n'en parle plus.

Prenant son courage à deux mains, elle se jeta à l'eau.

— Etes-vous conscient d'avoir blessé Tara, cet après-midi ? lança-t-elle.

Il tourna brusquement la tête vers elle et demanda :

— Quand et comment ? J'ai mangé avec vous votre fichu pique-nique, que je sache.

— Oui, mais quand je vous ai dit que les filles m'avaient beaucoup aidée, vous vous êtes contenté de grogner ! Pas un compliment pour les encourager !

Il soupira de dégoût et dit :

— Vous vous attendiez à quoi ? A ce que je fasse des courbettes ?

— Non, mais vous auriez pu dire un petit mot gentil, ne serait-ce qu'un simple remerciement.

— Est-ce que ces fichus mômes me remercient, moi, pour la nourriture que je leur procure ? répliqua-t-il, sur la défensive. Pour mon travail qui sert à gagner l'argent qui les fait vivre ?

— David, ce ne sont encore que des enfants !

— Moi aussi, j'ai été môme, rétorqua-t-il. Dès l'âge de six ans, j'ai travaillé avec mon père et cela ne m'a pas fait de mal.

— A mon avis, plus que vous ne le croyez, osa dire Annie.

Il la foudroya du regard mais elle ne se laissa pas décontenancer et reprit :

— Vous n'avez jamais appris à jouer, par exemple.

Il esquissa un mouvement pour se lever mais elle le retint par le bras.

— Laissez-les jouer, être des enfants, dit-elle. Ils deviendront adultes bien assez tôt.

— C'est ça, ricana-t-il. Ils grandiront en parasites et en paresseux inutiles, dit-il.

— Non, s'indigna Annie. Ils deviendront des adultes responsables et bien dans leur peau.

— Des paresseux, insista-t-il.

Elle sentit la moutarde lui monter au nez et attaqua :

— Voulez-vous en faire des drogués du travail, comme vous ?

Il fronça les sourcils et lança :

— Oui. Tant qu'il y aura du travail à faire.

Annie se rendit compte que cette conversation ne menait nulle part, qu'elle avait provoqué sa colère et elle s'en voulut. Elle se força à retrouver son calme et dit :

— Vous reconnaissez vous-même qu'il y a toujours à faire dans une ferme. Si vous ne prenez jamais de temps pour vous, pour votre famille, si vous ne remettez jamais à demain ou un autre jour la moindre tâche, vous allez vous tuer au travail et, plus grave, vous aliéner l'affection de vos enfants. Un jour, vous allez vous retrouver tout seul, amer et vieux.

Il la regarda sans rien dire, lèvres serrées, les yeux plissés, l'air mauvais.

— Vous en avez terminé ? demanda-t-il.

Elle relâcha son bras, découragée et dit :

— Oui. Terminé.

— Cela tombe bien, ricana-t-il. Parce que j'en ai assez entendu.

Annie jeta un coup d'œil à la pendule, soupira, prit le plat de poulet sur la table et alla le mettre au réfrigérateur.

« Lâche ! s'écria-t-elle pour elle-même. Lâche qui n'a pas le courage de venir déjeuner. » Elle qui avait tout préparé ! Que ne ferait-il pas pour éviter de lui parler ! Comme un enfant qui boude dans son coin. Elle ne se faisait pas d'illusions et savait qu'elle ne le ferait pas changer par de simples paroles mais elle aurait aimé qu'il lui donne sa chance. Elle n'était peut-être qu'une gamine mais elle était lucide, elle, au moins.

Quand elle avait réussi à le persuader de la garder en tant que nounou des enfants, elle savait à quoi s'attendre. Elle savait que ce ne serait pas facile mais elle pensait avoir un rôle à jouer près d'eux et près de Tara, en particulier, l'adolescente rebelle. L'enfant avait besoin d'amour, d'attention et d'une main ferme pour la guider, toutes choses qu'Annie se sentait prête à lui offrir. Mais Tara avait surtout besoin de l'amour et de la confiance de son père. Et cela, c'était une autre histoire. Réussir à convaincre ce vieux dur à cuire d'exprimer son amour plus ouvertement était l'objectif qu'Annie s'était fixé. Pour le coup, elle se retrouvait dans une position inconfortable, coincée entre le père et la fille.

De plus en plus agacée, elle alla à l'évier et jeta un œil vers la grange où David avait passé la matinée à travailler. Déjà, le matin, il avait englouti son petit déjeuner sans dire un mot et s'était éclipsé avant même que les enfants soient descendus de leurs chambres. Il avait fui et s'était enfermé dans la grange plutôt que de les affronter.

Elle se demandait, avec amertume, si ce qu'elle avait dit hier avait fait son chemin dans la caboche épaisse du maître de maison. A savoir que ses enfants avaient besoin de lui. Particulièrement, Tara.

Un mouvement d'ombre dans la grange attira son attention. Effectivement, David sortit dans le soleil, torse nu, courbé sous le poids d'un énorme sac de grains. Son torse luisait de sueur qui dégoulinait de son menton. D'un coup d'épaules, il bascula le sac sur le plateau du camion. Elle vit le jeu des muscles sous la peau bronzée et avala sa salive, consciente qu'elle aussi avait besoin de lui… à sa manière.

Elle se reprit aussitôt, alors qu'il disparaissait dans la grange. L'émotion qu'elle ressentait au plus profond d'elle-même ne relevait pas, à proprement parler, du besoin. C'était autre chose. Elle le voulait pour elle, mue par un désir égoïste et purement physique qu'elle s'avouait d'autant plus volontiers que, lui aussi, semblait ressentir la même attirance vis-à-vis d'elle. Toutefois, il lui avait clairement fait comprendre qu'il ne céderait pas à ses pulsions. Ce dont il était fort capable si on considérait la façon dont il s'entêtait à maintenir ses distances vis-à-vis de ses enfants.

David ressortit avec un autre sac sur le dos et les yeux d'Annie se firent plus pénétrants, le regard plus déterminé. Qu'arriverait-il si elle parvenait à briser sa résistance ? A lui faire exprimer un peu de ce qu'il refoulait à l'intérieur ? Comme ce jour où il l'avait embrassée et qu'elle avait pris conscience du trop-plein d'émotions qui bouillonnait sous la carapace. Est-ce que cela le libérerait ? Lui ferait redécouvrir une certaine joie de vivre ? Lui permettrait d'être plus libre dans sa relation avec ses enfants ?

Réussirait-elle à lui apprendre à… jouer ? Cela valait la peine d'essayer, décida-t-elle. Pour lui. Pour elle. Pour eux tous, peut-être. Convaincue qu'elle tenait le bon bout, elle se rua vers le réfrigérateur et en sortit l'assiette de poulet.

David balança le dernier sac de grains sur le plateau, enleva son chapeau et, du bras, essuya la sueur qui lui coulait dans les yeux. Il leva les yeux vers le ciel, le soleil, la chaleur excessive de cette matinée de printemps et remit son chapeau sur sa tête. Puis, il alla vers la cabine du camion et s'y installa.

Il mit le moteur en route, tourna le bouton de la climatisation et embraya. Il n'avait parcouru que quelques mètres quand il entendit crier derrière lui et vit, dans le rétroviseur, Annie qui courait après le camion, un panier à la main et lui faisait signe de s'arrêter.

Il fut tenté de la laisser avaler la poussière, mais ne put s'y résoudre et freina. Se penchant par la portière, il demanda :

— Qu'est-ce que vous voulez ?

Elle était arrivée à sa hauteur.

— Votre déjeuner, dit-elle tout essoufflée, lui montrant le panier.

Avant qu'il ait eu le temps de dire qu'il n'avait pas faim, elle avait fait le tour du véhicule et grimpait dans la cabine. Elle posa le panier sur le tableau de bord et il la vit attacher sa ceinture. Contrarié, il se tourna vers elle. Avant qu'il ait eu le temps d'ouvrir la bouche, elle demanda :

— Où allez-vous ?

— Dans les prés du fond. Porter de la nourriture aux bêtes.

Il se pencha de son côté et lui ouvrit abruptement la portière.

— Je suis sûr que vous avez beaucoup mieux à faire que de traîner dans les prés, dit-il.

Elle sourit et referma la portière.

— Pas vraiment, dit-elle.

Elle pencha la tête pour regarder le ciel et remarqua :

— C'est le jour ou jamais de pique-niquer.

— Encore ! s'écria-t-il.

— Celui de samedi a été un tel désastre qu'un peu d'entraînement ne vous ferait pas de mal, si vous voulez mon avis.

— Je n'ai pas de temps à perdre…, commença-t-il.

Mais il n'acheva pas sa phrase. Elle jouait avec le pompon que Clay avait attaché au levier de vitesses et demandait :

— Est-ce que je peux conduire ? Cela fait des siècles que je n'ai pas conduit une voiture avec une boîte de vitesses.

S'il ne tenait qu'à lui, pesta David intérieurement, elle attendrait encore deux ou trois siècles avant que cela se produise !

— Non, dit-il.

Il lui retira sèchement la main et démarra un peu trop vite. Le véhicule bondit en avant, collant Annie au dossier du siège. Elle rit, enleva ses sandales et mit ses pieds nus sur le tableau de bord, de sorte que David eut sous les yeux les ongles bleus de ses orteils. Il fit un geste de dégoût et demanda :

— Pourquoi vous peignez-vous les ongles en bleu ?

Elle remua les doigts de pied, les regardant d'un air satisfait et dit :

— Cela s'appelle *Bleu des mers du Sud*. Vous aimez ?

— Non, dit-il, reportant son regard sur la route. Cela me donne envie de vomir chaque fois que je les regarde.

Elle lui jeta un coup d'œil, la langue au creux de sa joue et demanda avec un air malicieux :

— Alors, pourquoi regardez-vous ?

— Qui pourrait s'en empêcher ? s'exclama-t-il. Vous vous baladez pieds nus en permanence.

Elle continua de remuer les orteils, ce qui l'irrita encore plus car son regard était irrésistiblement attiré par les ongles et les longues jambes bronzées qu'elle exposait sans vergogne.

— J'aime être pieds nus, ajouta-t-elle. Pas vous ?

— Aucune idée, grommela-t-il. Jamais essayé.

Elle lui donna une légère tape sur le bras et le taquina :

— Vous n'allez pas me faire croire cela ! Vous vous êtes sûrement promené pieds nus quand vous étiez enfant !

Il haussa les épaules et ramena son bras vers lui pour échapper à la main qu'elle n'avait pas retirée et dit :

— Mes souvenirs ne remontent pas si loin.

Elle se carra sur son siège, apparemment sans rancune et reprit :

— Dommage. C'est très agréable. Sensuel, même.

Avec un sourire d'enfant gourmande, elle ajouta :

— Il n'y a rien de plus sublime que de marcher dans l'herbe couverte de la rosée du matin. Ou sur une plage. Sentir le sable entre vos orteils : c'est super. Vous devriez essayer.

Il freina sec et arrêta le camion.

— Je m'en passerai, dit-il.

Il arrêta le moteur et elle s'enquit :

— On est arrivés ?

— Oui.

Il ouvrit la portière et sauta au sol. Il l'entendit en faire autant et, par-dessus le plateau, demanda :

— Qu'est-ce que vous fabriquez ?

— Je cherche un endroit pour pique-niquer, dit-elle, la main en visière. J'ai trouvé ! C'est un ruisseau, là-bas ?

Il suivit la direction qu'elle indiquait de la main et dit :

— Si on veut. La plupart du temps, il est à sec.

Il abaissa la partie arrière du plateau et tira un sac.

— Avec les pluies de cet hiver, dit-elle, il doit y avoir de l'eau.

Il souleva le sac sur son dos et remarqua :

— Peut-être mais ça ne tiendra pas longtemps. Avec cette chaleur, ce sera à sec dans quelques semaines.

Elle se tourna vers lui et, les mains sur les hanches, s'indigna :

— Plus optimiste que vous, on ne fait pas !

Il déposa le sac de grains sur le bord d'une impressionnante auge en pierre et sortit son couteau de sa poche.

— Mieux vaut ne pas se faire d'illusions et faire face à la réalité, dit-il. Inutile de se raconter des histoires.

Le menton en l'air, le panier se balançant au bout de son bras, elle se dirigea vers le ruisseau et répondit :

— Peut-être, mais c'est beaucoup moins drôle.

Il la suivit des yeux, puis d'un coup sec de son couteau, éventra le sac dont le contenu se déversa dans l'auge.

— Quelle gamine idiote, marmonna-t-il.

— J'ai entendu ! cria-t-elle.

Il leva la tête et vit qu'elle avait atteint la rangée d'arbres qui bordait le ruisseau. C'est alors qu'il réalisa qu'elle était toujours pieds nus et marchait sans crainte dans les hautes herbes. Il voulut l'avertir :

— Faites attention ! Il y a des…

Elle poussa un cri et il acheva, trop tard :

— Des tiques dans l'herbe.

Il finit de déverser le grain dans l'auge, jeta le sac vide dans le camion et se dirigea vers elle.

— Ça va ?

— Non, gémit-elle. J'ai une tique dans le pied. Dans les deux, je crois.

Elle se tenait en équilibre précaire sur les talons, les orteils pointés vers le ciel et formait un tableau si comique que David eut envie de sourire. Elle s'en rendit compte et l'avertit :

— Ne vous avisez pas à me dire que vous m'aviez prévenue.

Il leva les mains en signe de protestation.

— Loin de moi cette idée ! s'écria-t-il. Bien que je me sente en droit de vous faire remarquer que c'est un des dangers que vous courez à vous promener pieds nus, ce que j'ai soigneusement évité de faire pendant toutes ces années.

— Si cela ne revient pas à dire : « Je vous l'avais bien dit ! », s'énerva-t-elle.

Elle eut un petit cri quand il lui passa un bras sous les genoux, l'autre sous les aisselles et la souleva. Elle s'inquiéta :

— Qu'est-ce que vous faites ?

— Je vous emmène en sécurité.

— Et notre déjeuner ? cria-t-elle, tendant la main vers le sol, là où elle avait laissé tomber le panier.

— Accrochez-vous à moi et attrapez le panier.

Elle cria de plus belle quand il la fit basculer sur le côté. Une main autour de son cou, elle se pencha et réussit à saisir l'anse. Il se redressa et elle s'accrocha à lui. Elle sourit quand elle vit qu'il se dirigeait vers le ruisseau et non vers le camion.

— On va pique-niquer, alors ?

Il la laissa tomber sur un rocher plat au bord du filet d'eau et dit :

— Dès que je vous aurai débarrassée des tiques qui vous encombrent.

Il s'accroupit, lui prit un pied dans la main et l'examina soigneusement.

— Comment allez-vous faire ? Avec quoi ?

— Avec ça, dit-il, sortant son couteau de sa poche.

Les yeux d'Annie s'agrandirent de terreur quand il fit jaillir la lame et, instinctivement, elle recula son pied.

— Vous n'y pensez pas ! s'indigna-t-elle. Cela va faire horriblement mal !

— Cela dépend de votre seuil de tolérance à la douleur, dit-il.

— Très, très bas, dit-elle avec une grimace.

Il lui reprit fermement le pied en mains et suggéra :

— Je vous conseille de ne pas regarder.

— Je veux voir ce que vous faites, s'insurgea-t-elle.

Il haussa les épaules, ajusta sa prise et remarqua :

— Faites comme vous voulez.

En dépit de son affirmation de vouloir regarder, Annie ferma résolument les yeux, entièrement tendue dans l'attente du coup de couteau.

— Vous pouvez respirer, dit-il, taquin.

Elle ouvrit les yeux et le vit qui la regardait d'un air amusé. Elle eut un « Oh ! » embarrassé et ne put s'empêcher de remarquer qu'il était un autre homme quand il souriait.

— Vous devriez sourire plus souvent, dit-elle, se penchant en avant.

90

Il haussa les sourcils, reporta son attention sur le pied, mais demanda :

— Pourquoi ?

— Parce que…, dit-elle, sans pouvoir aller plus loin.

— C'est une bonne raison, se moqua-t-il, se servant de la pointe de son couteau pour extraire la tique.

— Aie ! cria-t-elle, retirant son pied.

— Femmelette ! dit-il, lui montrant la tique au bout de son couteau.

— On voit bien que ce n'est pas votre pied, dit-elle, le frottant entre ses mains.

Il rit et s'empara de l'autre cheville.

— Vous voulez que je lui donne un petit baiser comme on fait aux enfants ?

— Pour que j'attrape une infection par-dessus le marché ? rétorqua-t-elle.

— Que c'est drôle ! dit-il, mettant le couteau en position.

— Aussi drôle que vous l'êtes, dit-elle.

Décidée à supporter la douleur sans un cri, elle fut surprise quand il brandit la tique sur son couteau sans qu'elle n'ait rien senti.

— Super, dit-elle. Cela ne m'a pas fait mal !

— Vous voulez que je recommence ? taquina-t-il.

— Non, merci, dit-elle, ravie de découvrir qu'il avait un peu d'humour. Je crois que je vais m'arrêter là. J'aurais trop peur que vous n'alliez jusqu'à l'amputation.

Il tenait toujours le pied dans sa main mais son regard n'était plus aussi taquin et un pli s'était formé sur son front.

— Pensez-vous sérieusement que je pourrais vous faire mal volontairement ? demanda-t-il.

Elle se détendit et s'inclina en arrière, en appui sur ses coudes.

— Je crois que vous êtes prêt à tout, ou presque tout, pour me faire décamper, dit-elle, et que vous soyez débarrassé de ma présence.

Il fronça les sourcils, baissa les yeux sur le pied dont il massait inconsciemment la plante délicate et murmura :

— Vous êtes jeune, très jeune.

Comme s'il se justifiait de l'avoir malmenée… pour son bien, évidemment.

— Oh, cela va, dit-elle. Ce n'est pas mon âge qui vous pose problème.

— Non, admit-il, mais c'est une raison suffisante.

— Pour vous, peut-être.

— Cela devrait l'être aussi pour vous.

Elle se força à rester calme et dit d'un ton réfléchi :

— Jeune peut-être, adulte certainement. Sachez que je suis parfaitement capable de faire mes choix toute seule. Sans personne pour me dire ce que je dois faire, ni vous, ni personne d'autre, vu ? Alors, on se met d'accord pour arrêter de disserter sur mon degré de maturité et on repart de zéro. D'accord ?

David continuait de lui masser le pied, des orteils au talon, le regard fixé sur elle. Il se demandait si elle était consciente de l'impact qu'elle avait sur un homme aussi endurci que lui. Ou alors, jouait-elle volontairement avec le feu ? Elle mériterait qu'on lui donne une bonne leçon, pensa-t-il. Cela lui apprendrait à réfléchir.

— D'accord, dit-il.

Elle se renversa en arrière et dit :

— Merci pour le massage. Vous savez y faire.

Il baissa les yeux et s'aperçut qu'il n'avait pas lâché le pied. Il la regarda, un sourire dans les yeux.

— Vous m'étonnez, dit-il. Cela ne vous a pas chatouillée ?

— Non. Je ne suis pas chatouilleuse, reconnut-elle. Et vous ?

— Un homme digne de ce nom n'avoue pas ses faiblesses, dit-il.

— Ce qui revient à admettre que vous êtes chatouilleux.

— Je n'ai rien dit de tel, protesta-t-il.

— Pas besoin, dit-elle, se redressant. Enlevez vos bottes.

— Quoi ? s'écria-t-il, éberlué. Pourquoi ?

— Enlevez-les.

— Désolé, chère madame, dit-il, feignant l'indignation. Je ne suis pas celui que vous croyez.

— Alors, c'est que vous êtes chatouilleux ! dit-elle avec un sourire entendu.

— Pas très prudent de mettre un homme au défi quand il vous tient le pied dans sa main, fit-il remarquer.

— Pourquoi ? demanda-t-elle d'un air prétendument innocent.

Il approcha ses orteils de sa bouche et dit, vaguement menaçant :

— On ne sait jamais. L'envie pourrait lui prendre de mordre.

Elle tenta de retirer son pied mais il resserra son emprise.

— Vous ne feriez pas cela ! dit-elle, les yeux rivés sur lui.

— Vous croyez ?

Il ouvrit la bouche mais au lieu de mordre, il souffla longuement sur la plante du pied et Annie eut un brusque mouvement de recul.

— Je croyais que vous n'étiez pas chatouilleuse, dit-il.

— Vrai, dit-elle sur la défensive.

— Alors, qu'est-ce qui vous fait réagir ?

— C'est un réflexe. Une réponse conditionnée à un stimulus.

Il remonta lentement du talon au mollet et sous le genou, lui donnant la chair de poule.

— Vous pourriez m'expliquer cela en termes simples ? dit-il.

Il s'assit à côté d'elle sur le rocher et lui mit la jambe sur sa cuisse. Il reprit son massage, mais cette fois, il s'intéressait à la jambe tout entière.

— D'accord, dit Annie, le souffle court. Si vous voulez tout savoir, cela veut dire que vous me faites de l'effet. Un certain effet. Un effet certain, acheva-t-elle difficilement.

5.

David leva les sourcils, surpris de cette déclaration sans ambages.

— Vraiment ? dit-il.

— Absolument, dit-elle, les yeux rivés sur sa bouche.

— Qu'est-ce qu'on peut faire ? demanda-t-il, d'un air faussement consterné.

Elle se passa la langue sur les lèvres et, retenant son souffle, renvoya la question.

— Je ne sais pas. Que suggérez-vous ?

Il fit la moue, prit un air pensif comme s'il se concentrait sur la meilleure réponse à donner et finit par dire :

— Je pourrais vous embrasser, par exemple.

— Oui, dit-elle, retrouvant son souffle. C'est une bonne idée.

— Cela pourrait aussi être le début des ennuis, dit-il.

— Pour qui ?

— Vous, moi, répondit-il, la voix un peu rauque.

Elle se repassa la langue sur les lèvres et dit :

— J'en prends le risque si vous êtes d'accord pour le prendre aussi.

— Je ne sais pas, marmonna-t-il.

Mais avant qu'il ait pu prendre une décision, elle s'était rapprochée et posait ses lèvres sur les siennes.

Malgré son intention de lui donner une bonne leçon et de mettre un terme à toute cette histoire avant que cela n'aille trop loin, il s'aperçut que c'était au-delà de ses forces. Leur premier baiser avait nourri ses rêves et hanté ses journées. Il avait eu beau se dire que des années d'abstinence lui avaient fait idéaliser leur premier contact, qu'il s'était fait des idées fausses sur la douceur de ses lèvres et la réponse sensuelle de son corps, rien n'y avait fait.

Pour se prouver qu'il avait raison, il se fraya un passage avec sa langue entre les lèvres d'Annie et gronda de plaisir quand il eut le goût de sa bouche dans la sienne, aussi doucement érotique que dans son souvenir. Au contact de sa langue sur la sienne, il laissa de côté tous les arguments raisonnables et se livra sans retenue au plaisir de l'exploration.

Il passa une main dans son dos, juste pour voir, se promit-il. Son autre main vint se plaquer sur la rondeur d'un sein. Annie arqua le dos, répondant à la pression de l'homme contre elle.

Avec un grognement, il roula sur le dos et la fit passer au-dessus de lui, approfondissant leur baiser. La surface inégale du rocher lui labourait le dos et il s'en réjouit comme d'une récompense au poids de la jeune fille sur lui, à toute cette douceur affalée sur son corps.

— Je savais que vous seriez une source d'ennuis, marmonna-t-il, prenant sa lèvre inférieure entre les siennes.

— Et alors ? dit-elle, ajustant sa position. C'est agréable, non ?

Il rit puis grogna de nouveau car elle reculait sur lui jusqu'à atteindre ses bottes. Elle se mit à tirer et il se releva, effaré.

— Qu'est-ce que vous faites ? cria-t-il.

Quand la botte céda, elle recula et faillit perdre l'équilibre.

— Un prêté pour un rendu ! dit-elle.

— Quoi ? interrogea-t-il, crispant ses orteils dans la botte qui restait pour empêcher qu'elle puisse l'enlever.

— Le massage, dit-elle.

Il se redressa complètement, cherchant à lui taper sur les mains.

— Je n'ai pas besoin de massage, protesta-t-il.

— Seriez-vous chatouilleux ?

Il se rembrunit quand, malgré sa résistance, la botte finit par céder.

— Non, affirma-t-il.

— Parfait, dit-elle, parce que, que vous le vouliez ou non, vous allez l'avoir, ce massage.

Elle passa sa main dans la jambe du jean, remonta le long du mollet et fit glisser la chaussette. Elle eut un sourire entendu quand il ne put réprimer un frisson et posa le pied sur ses genoux.

— Un bon massage est tout un art, assura-t-elle. Le saviez-vous ?

Effectivement, une onde de chaleur envahit David au fur et à mesure qu'elle passait de la cheville aux orteils, à la plante des pieds et sur le cou-de-pied. Le contraste entre son grand pied osseux et les doigts fins de la jeune fille avait de quoi le gêner, tout comme d'avoir Annie à ses pieds un peu à la manière d'une esclave des temps anciens.

— Non, dit-il, essayant d'ignorer le contact sensuel de ses doigts et de ses ongles sur sa peau. Je ne savais pas.

— J'ai un peu étudié la réflexologie, ajouta-t-elle.

Elle avait fermé la main et lui massait la plante du pied de telle manière que tous les muscles de son corps se relâchèrent.

— Certains points dans le pied commandent d'autres parties du corps, continua-t-elle, accentuant la pression à la base de ses orteils. Par exemple, ici, vous devriez ressentir l'effet dans l'épaule. Exact ?

David ressentait bien quelque chose, mais pas exactement dans l'épaule !

— Oui, dit-il, sans lui avouer que cela n'avait rien à voir avec son épaule.

— Le corps est un ensemble complexe de muscles et de nerfs qui interfèrent les uns avec les autres et répondent à des stimuli différents, affirma-t-elle, apparemment tout à son massage.

« Stimuli ! » Encore ce mot ! Voulait-elle le « stimuler » ? Il chercha son regard, s'attendant à lui trouver un air de ruse féminine, de prétention exaltée. Il ne vit qu'innocence et sincérité dans les grands yeux verts qui lui sourirent.

— Détendez-vous, lui ordonna-t-elle. Sinon, vous ne prendrez aucun plaisir à mon massage.

— Je suis parfaitement détendu, affirma-t-il.

En réalité, tous les muscles de son corps étaient tendus comme un arc prêt à lancer sa flèche !

Elle rit et s'employa à enlever l'autre chaussette.

— C'est ça ! Dans ce cas, je suis Madonna !

Elle lui prit la main et le força à se remettre debout.

— Où voulez-vous aller ? s'étonna-t-il.

— Patauger.

Il s'arrêta net.

— Non, dit-il

— Si.

— Non, répéta-t-il, libérant sa main.

Elle le regarda, interdite :

— Pourquoi pas ?

Du menton, il montra le ruisseau.

— Qui sait ce qui se cache au fond de ce ruisseau boueux, dit-il.

98

— Froussard, accusa-t-elle.

— Si vous vous coupez le pied sur un rocher ou vous faites piquer par une bestiole, ne venez pas vous plaindre, dit-il.

— Entendu.

Elle s'avança de quelques pas, frissonnant de plaisir au contact de la fraîcheur de l'eau courant sur ses jambes. Elle se retourna et lui fit signe de venir la rejoindre.

— Venez, pria-t-elle. C'est absolument sublime.

Il croisa les bras sur sa poitrine, montrant clairement sa détermination :

— Non, merci. Je préfère m'abstenir.

Elle haussa les épaules et s'avança plus loin jusqu'à avoir de l'eau en haut des cuisses. Elle rit de plaisir, ouvrit les bras et, se penchant en arrière, se mit à tourner en un long mouvement souple.

— Attention aux rochers, cria-t-il.

Elle réunit ses cheveux en chignon au sommet de son crâne et continua sa progression.

— Arrêtez de vous faire du souci pour moi, jeta-t-elle par-dessus son épaule. Je suis une grande fille.

Elle avait de l'eau presque jusqu'aux épaules et son chemisier formait un ballon autour de son buste. David ne la quittait pas des yeux et ne put s'empêcher de crier :

— Annie ! Revenez avant que vous ne soyez entraînée par le courant.

Elle se retourna et, avec un sourire malicieux, lança :

— Si vous voulez que je revienne, venez me chercher.

Il fit un pas dans l'eau, jura et répéta :

— Revenez immédiatement !

Le sourire d'Annie s'effaça quand elle réalisa qu'il avait peur.

— Ne me dites pas que vous ne savez pas nager ! s'exclama-t-elle.

99

— Qui vous parle de nager ? s'énerva-t-il. Je vous somme de revenir avant qu'il ne soit trop tard.

Elle comprit alors qu'il avait peur pour elle, peur qu'il lui arrive quelque chose et elle revint lentement vers la rive.

— Je suis désolée, dit-elle. Je n'avais pas l'intention de vous…

Ses yeux s'agrandirent, et elle cria, sentant son pied glisser sur un rocher couvert de mousse. Elle perdit l'équilibre, essaya de se rattraper mais n'y parvint pas et disparut sous l'eau. En un rien de temps, David était au milieu du ruisseau, se dirigeant vers l'endroit où il l'avait vue disparaître. La gorge nouée, il plongea les mains sous l'eau, cherchant frénétiquement à la saisir. Comme ses mains se refermaient sur le vide, il se redressa et l'aperçut qui refaisait surface un peu plus loin, crachant, riant et rejetant ses cheveux en arrière. Il jura comme un damné.

— Vous l'avez fait exprès ! l'accusa-t-il.

— Non, dit-elle, riant de plus belle.

— Ne me racontez pas d'histoires !

Au ton de sa voix, elle comprit que mieux valait ne pas pousser trop loin la plaisanterie et s'approcha.

— Je jure que non, affirma-t-elle. J'ai glissé sur un rocher.

— Vous auriez pu vous faire mal, dit-il, déjà moins sévère.

Elle posa la main sur son bras et le rassura :

— Je n'ai rien. Tout va bien.

Avec un grognement, il dégagea son bras et se dirigea vers le bord. Puis il fit brusquement demi-tour et la prit dans ses bras, sa bouche cherchant avidement la sienne. Elle sentit la peur et la colère s'exprimer dans la pression de ses mains sur son dos, dans la dureté de ses lèvres et réalisa qu'il tenait à elle, d'une manière ou d'une autre. Le cœur d'Annie faillit s'arrêter de battre tant cette découverte était soudaine et inattendue. Malgré ses dénégations et ses airs de rustre, David Rawley s'inquiétait pour elle, avait craint pour sa vie. Qui l'aurait cru ? Surprise, émue même, elle lui passa les bras autour du cou et répondit à son baiser. C'est à peine si elle se rendit compte qu'il se penchait pour la prendre sous les genoux, la soulever et la ramener vers la terre ferme. Elle se cramponna à lui et murmura à son oreille :

— Mon preux chevalier !

Il rejeta la tête en arrière et, fronçant les sourcils, la prévint :

— Ne vous faites pas d'illusions !

Puis, comme il atteignait la berge, il la remit sur ses pieds. Elle se laissa tomber dans l'herbe, prit ses cheveux dans ses mains, les entortilla pour en chasser l'eau et s'en fit un chignon.

— Quand je pense que je vous ai pris pour un abominable homme des neiges alors que vous êtes du genre nounours au cœur tendre ! s'étonna-t-elle tout haut.

Il s'assit à côté d'elle et ramassa une brindille qu'il tritura entre ses doigts. Il hocha la tête et, d'un air faussement apitoyé, remarqua :

— Vous avez dû ingurgiter plus d'eau que je ne pensais. Cela vous a ramolli le cerveau.

Elle lui donna un bon coup d'épaule et, souriant de le voir rougir, dit :

— Pas la peine de faire semblant et de jouer les machos avec moi. Cela ne marche plus.

— Ne vous mettez pas des idées en tête, dit-il.

Elle tordit le bas de son chemisier et demanda :

— Comme quoi, par exemple ?

Les yeux de David s'attardèrent longuement sur le chemisier trempé puis remontèrent à son visage. Annie cessa de sourire en voyant le désir brûlant qui luisait dans le regard braqué sur elle.

— Ne faites pas la bêtise de croire que je suis un type bien, dit-il sombrement. Ce serait une grossière erreur.

Elle sentit tous les nerfs de son corps entrer en action quand il se rapprocha. D'une voix un peu chevrotante, elle dit :

— Les « types bien » ne m'ont jamais particulièrement attirée.

— Ne me reprochez pas de ne pas vous avoir prévenue, dit-il, juste avant d'écraser sa bouche contre la sienne.

Il la repoussa sur l'herbe et s'allongea sur elle, son torse contre son buste trempé. Puis il roula sur le dos et la fit basculer au-dessus de lui. Il émit un grondement de plaisir quand le pelvis de sa compagne rencontra son membre déjà dressé. Il se retira de côté et leurs regards se rivèrent l'un à l'autre, conscients l'un et l'autre de l'électricité qui se dégageait de leurs deux corps.

Il lui prit le visage entre ses mains, surpris de l'intensité du désir qu'il ressentait pour elle. Il lui caressa les pommettes de ses pouces et vit le même désir voiler son regard. Lentement, sa bouche vint à la rencontre de la sienne. Il respira à fond, se réjouissant de goûter sa saveur, de participer à son odeur ; il prit conscience de la lumière du soleil, de l'odeur de l'herbe sous eux, de ses cheveux humides, répandus maintenant autour de sa tête. Il l'entendit geindre doucement, sentit ses ongles s'enfoncer dans ses épaules et son besoin de la posséder s'en trouva décuplé. Il changea de position, la fit s'allonger sur l'herbe et se plaça sur elle à califourchon, la respiration haletante d'anticipation.

— Je veux te toucher, murmura-t-il.

Il releva le chemisier, dénudant la peau fragile.

— Et te goûter.

Il se pencha et couvrit de baisers son ventre frémissant.

— Oui, dit-elle, oui, enfonçant ses mains dans les cheveux de David.

Il remonta le long de son buste et elle gémit, s'arrêta de respirer quand il atteignit ses seins et en prit un entre ses lèvres. Elle arqua le dos et il lécha le bout, caressant, mordillant, surpris des textures et des parfums qu'il y découvrait.

Il sut alors qu'il irait jusqu'au bout et le lui dit :

— Je veux te faire l'amour.

Sans un mot, sans une hésitation, elle ouvrit grand les bras. Il se laissa tomber sur elle, sa bouche sur la sienne, sa langue comme un dard, explorant, taquinant, se repaissant des réactions de sa partenaire.

— Tu es protégée ? demanda-t-il.

Il la sentit se raidir et se détachant d'elle, la regarda.

— Non, dit-elle. As-tu ce qu'il faut ?

Il posa son front contre le sien et avoua :

— Non. Pas ici.

Elle réfléchit un instant et suggéra :

— J'ai enveloppé le poulet dans du film plastique. On pourrait essayer.

Malgré sa frustration, il ne put retenir un gloussement de rire. Il n'y en avait pas deux comme elle ! Il roula sur le côté et la prit dans ses bras.

— Je ne crois pas, dit-il avec un sourire amusé, que le film plastique du poulet serait un moyen de contraception efficace.

Elle fit la moue, déçue, elle aussi.

— Juste au moment où cela commençait à chauffer, dit-elle.

Il éclata de rire et la serra contre lui.

— Ce n'est pas perdu, dit-il.

Elle leva vers lui un regard plein d'espoir et dit :

— Plus tard, alors ?

— C'est cela, dit-il, lui calant la tête sous son menton. Plus tard.

Bien qu'il fût minuit passé, David se tenait dans l'embrasure de la fenêtre de sa chambre, torse nu, les mains appuyées sur le chambranle. Il regardait le jardin sans le voir, attendait, se demandant si Annie viendrait le rejoindre. Depuis la séance au bord de l'eau, tout son corps la réclamait. Il se demandait s'il devait espérer sa venue ou la redouter car il savait qu'il ne pourrait pas résister à la tentation de ce corps si gracieusement offert.

Il se prit à regretter la promesse qu'il lui avait faite au bord de l'eau et tapa du poing sur le bois. Qu'est-ce qui lui avait pris ? Un coup de folie ? Il s'était pourtant promis de garder ses distances avec elle, de ne pas la toucher. Cent fois, il avait reconnu que ce serait une grosse erreur de sa part.

Annie ! Celle qui avait abattu ses barrières. Son corps jeune et ferme. Ses yeux verts malicieux. Sa bouche si tentante. Elle lui avait redonné le goût des plaisirs partagés, l'avait ensorcelé de sorte qu'il avait oublié les dangers implicites d'une telle relation ; le temps d'un après-midi, il avait rejeté loin de lui les souvenirs et les bonnes résolutions. Il avait été prêt à prendre ce qu'elle offrait si simplement.

Il s'en était fallu de peu !

Il entendit la porte s'ouvrir doucement derrière lui et se crispa, devinant qu'Annie venait d'entrer dans sa chambre. Tout d'abord, il perçut son odeur, ce parfum subtil et tenace qui éveillait ses sens dès qu'il se trouvait à proximité. Puis ce fut sa main, douce et chaude au creux de son dos. L'instant d'après, elle était à ses côtés, les yeux levés vers lui et il sentit plutôt qu'il ne vit la chaleur de son regard sur lui.

— David ?

Il ferma les yeux sous l'effet de la voix un peu voilée, priant le ciel de lui donner la force de la renvoyer dans ses appartements. Cependant, quand il les rouvrit et vit l'attente clairement exprimée dans les yeux verts, il sut que sa prière ne serait pas exaucée. Impossible de la renvoyer. Il était déjà trop tard.

Conscient de la situation, il délaissa la fenêtre et alla à la table de nuit et en sortit un petit paquet. Il referma le tiroir d'un coup sec et se tournant vers elle, la dévisagea.

— Vous êtes certaine de vouloir aller jusqu'au bout ? demanda-t-il.

Elle croisa les bras autour d'elle comme si elle avait froid.

— Et vous ? demanda-t-elle pour renvoyer la balle dans son camp.

Il continua de la regarder, puis hocha la tête et avoua :

— Oui. Bien que j'aie l'impression que ce soit une bêtise et que nous le regretterons.

Elle fit un pas vers lui et dit :

— Pourquoi ? Nous sommes adultes et consentants. Responsables de nos actes.

Il eut un rire sceptique et s'assit au bord du lit.

— Vous croyez ?

Il mit ses avant-bras sur ses cuisses et secoua la tête.

— Je n'en suis pas si sûr.

Surprise de son attitude, Annie vint s'asseoir à côté de lui et dit :

— Si vous n'êtes pas prêt pour ce genre de relation physique... si vous vous sentez coupable vis-à-vis de votre femme...

— Non, coupa-t-il. Cela n'a rien à voir. Mais vous avez mis le doigt sur le problème. Une relation physique. C'est tout ce que je cherche. Physique. Uniquement. Rien de plus. Si vous êtes d'accord, alors moi aussi.

A ces mots, Annie eut un pincement au cœur. D'autant plus que la lune qui perçait entre les nuages lui permit d'entrevoir l'expression désemparée sur le visage de David. Elle ne s'était pas attendue à autre chose qu'à une relation éphémère, sans lien d'aucune sorte. Cependant, elle était choquée qu'il en excluait d'emblée tous sentiments, toute tendresse. Une fois de plus, il se fermait d'avance, refusait de laisser parler ses émotions et rejetait toute possibilité d'attachement.

C'est pour cette raison qu'il lui donnait le choix, estimat-elle. Il voulait que ce soit elle qui prenne la décision et en assume les conséquences en toute connaissance de cause. Pour lui éviter toute illusion, la prévenir de ne pas se monter la tête.

Ce qu'il ne savait pas, c'est que sa décision était prise depuis longtemps. Peut-être même depuis ce tout premier matin où il avait fait son apparition dans la cuisine et qu'ils s'étaient trouvés face à face. Tout de suite, elle avait éprouvé un pincement au cœur qu'elle connaissait bien. Maintenant que le moment était venu, elle était prête à prendre le risque, sachant les dangers que cela impliquait, certaine d'y trouver son compte.

Elle sourit et lui caressa la joue en un geste apaisant.

— Ne vous faites pas de souci pour moi, dit-elle. Je comprends parfaitement. Et je suis partante.

Il la regarda dans les yeux comme pour s'assurer qu'il avait bien entendu puis sa main vint recouvrir la sienne. Elle le sentit trembler quand il lui prit la paume entre ses doigts et y déposa un baiser. Le geste était si doux, si involontairement tendre qu'Annie en eut les larmes aux yeux. Elle comprit que le nounours au cœur tendre était bien là, enfoui quelque part sous une épaisse carapace et qu'il ne faudrait pas grand-chose pour qu'il refasse surface.

Elle se leva, lui tournant le dos, défit la ceinture de son déshabillé et, d'un mouvement d'épaules, le fit tomber au sol. Elle se retourna vers lui, prit le bas de sa chemise de nuit et, lentement la fit passer par-dessus sa tête. En même temps, elle secoua la tête pour libérer ses cheveux. David parcourut des yeux ce corps offert et Annie dut se concentrer pour ne pas trembler de la tête aux pieds sous l'intensité du désir qu'elle lisait dans ce regard. Toutefois, quand il la prit par la main pour qu'elle se rapproche de lui, c'est avec assurance qu'elle s'installa entre ses genoux. Il la regarda longuement, baissa les yeux sur leurs mains réunies et lui caressa les doigts de son pouce.

— Cela fait longtemps que cela ne m'est pas arrivé, dit-il à voix basse. Je ne peux pas garantir de faire durer les choses.

— Nous avons toute la nuit, dit-elle.

Il la regarda un peu surpris, puis détecta l'éclair de malice dans ses yeux et sourit à son tour.

— Oui, évidemment, dit-il.

Ses yeux se fixèrent sur sa bouche et son membre se raidit au souvenir des lèvres douces qui avaient répondu à ses baisers. Il fut pris du désir de l'étendre sur le lit, de couvrir sa bouche avec la sienne et de la posséder là, tout de suite, d'entrer en elle avec toute la force du besoin qui menaçait de le submerger. Il réalisa aussitôt que ce serait la preuve d'un égoïsme forcené et se força à détourner les yeux.

— Pas facile, marmonna-t-il.

— Pourquoi ? dit-elle.

— Je n'en sais fichtre rien.

— Parce que c'est prémédité ?

— Peut-être.

Il se mit debout, jetant le paquet de préservatifs sur le lit et alla à la fenêtre. Il l'entendit s'approcher et lutta pour ne pas se retourner et la prendre dans ses bras. Ce fut elle qui l'entoura de ses bras, embrassant ses épaules, son dos, tout le long de sa colonne vertébrale, le faisant frémir sous la caresse de ses lèvres.

— David ? Regarde-moi, murmura-t-elle.

Comme il ne bronchait pas, elle insista :

— S'il te plaît.

Incapable de résister à cette invite, il tourna sur lui-même, décidé à la renvoyer chez elle avant que l'irréparable ne se produise. Mais il n'eut pas le temps d'ouvrir la bouche. Comme si elle avait lu dans ses pensées, Annie lui mit un doigt sur les lèvres et murmura :

— Détends-toi. Fais comme si c'était la première fois que nous nous rencontrons et que nous nous sentons irrésistiblement attirés l'un par l'autre.

Il se renfrogna et se passa la main dans les cheveux.

— Ce n'est pas si simple, dit-il.

— Pourquoi ?

— Parce que cela fait longtemps que cela ne m'est pas arrivé et que je pourrais te faire mal, dit-il, sentant le désir monter en lui de toute sa force.

— Impensable, dit-elle, se lovant contre lui.

— Tu ne sais pas de quoi je suis capable, commença-t-il.

Elle se mit sur la pointe des pieds et étouffa ses arguments sous la pression de ses lèvres. Sans résister, il céda à ses impulsions et la pressa contre lui. Il lui prit le visage entre les mains et s'adonna passionnément à ce baiser, allant chercher dans l'exploration de sa bouche de quoi étancher momentanément sa soif de la posséder. Cela ne fit qu'alimenter son désir, réduisant à néant son intention de la renvoyer dans ses quartiers. Au contraire, il l'emmena vers le lit, la hissant contre lui, contre son membre en érection. Il la déposa sur le couvre-lit et s'allongea sur elle.

— Oh, oui, dit-elle quand la bouche de David se referma sur un sein dressé.

Il suça, téta et Annie se rejeta en arrière, le buste tendu vers lui, vers ce qu'il faisait et ce qu'il allait faire.

— Je veux te toucher, dit-elle, s'attaquant à la fermeture du jean.

Il gronda quand elle effleura son sexe et dit :

— Doucement. Essayons que cela dure autant que possible.

Il roula sur le dos et la fit passer au-dessus de lui. Le visage en feu, Annie se redressa et assura :

— Fais-moi confiance.

Elle l'aida à se débarrasser de son jean puis, à califourchon, d'un doigt habile, avec une lenteur calculée, elle caressa le torse musclé, de la pomme d'Adam au nombril.

— Nous avons toute la nuit, lui rappela-t-elle.

— Sûrement pas si tu continues de cette manière, dit-il, lui prenant le doigt dans sa main.

Elle se pencha pour l'embrasser et remarqua :

— Toujours aussi optimiste !

Il rit et rétorqua :

— Je connais mes limites.

Les yeux fixés sur elle, il prit un des doigts d'Annie et le mit dans sa bouche. Quant il commença à le sucer, il vit les yeux d'Annie s'agrandir de surprise, et entendit sa respiration s'accélérer.

Lentement, il retira le doigt de sa bouche et elle respira à fond avant de se relever.

— A moi maintenant, dit-elle.

Elle sortit un préservatif du paquet et l'ajusta sur le membre tendu avec une lenteur calculée qui le fit gémir de frustration. Elle se rapprocha de lui et, sans le quitter des yeux un seul instant, le fit entrer en elle. David eut un soubresaut lorsque le bout de son membre toucha l'ouverture humide. Il gronda et gémit quand elle le fit pénétrer plus avant. Ce fut comme un feu de prairie qui monta en lui, consumant tout sur son passage. Il l'attira vers lui, prit son visage dans ses mains.

— Je te veux, dit-il, tout entière.

Il serra les dents et d'un mouvement décidé, s'enfonça au plus profond. Elle cria de plaisir ; il la tint par les hanches, sentit l'écrin de velours se refermer sur lui et lutta pour rester maître de la suite des événements. Il fut surpris par le flot d'émotions qui se précipitaient en lui, touché par la disponibilité, par la sincérité qu'il lisait dans les yeux de la jeune fille. Naturelle, se dit-il. Spontanée. Elle ne dissimulait rien, ne cachait rien de ses désirs ou de ses pensées. Elle prenait ce qu'on lui offrait avec la même générosité, le même enthousiasme qu'elle mettait à offrir ce qu'elle avait à donner.

Car elle éprouvait un intense plaisir : cela se voyait à l'éclat de ses yeux, à la douceur confidentielle de son sourire. Néanmoins, elle cherchait aussi à lui faire plaisir, le caressait, l'embrassait, le touchait là où elle savait le stimuler.

Lentement, il commença d'aller et venir en elle, attentif à ses réactions, soucieux de son plaisir à elle avant de se satisfaire, lui. Il se réjouissait d'avoir retrouvé le contrôle de ses pulsions pour leur plus grande satisfaction à tous les deux.

La respiration d'Annie s'accéléra au fur et à mesure qu'il accentuait le rythme ; elle répondit en adaptant le mouvement de ses hanches au sien. Il vit ses yeux s'agrandir, ses lèvres s'ouvrir à la recherche de l'air qui lui manquait. Elle gémit, cria, frissonna violemment et enfonça ses doigts dans les épaules de David. Finalement, elle se rejeta en arrière, tendue comme un arc sous l'effet d'un orgasme dévastateur.

— Encore, dit-il.

Il gronda, s'enfonça brusquement en elle, l'envoyant plus loin qu'elle n'aurait cru possible, au bord de l'inconscience, dans un monde de sensations délicieuses et douloureuses, hors du commun. Au même moment, il se cabra, poussa encore et atteignit avec elle la délivrance extatique tant attendue.

Epuisé, bouleversé par l'intensité de ce qu'ils venaient l'un et l'autre d'expérimenter, David attira Annie sur sa poitrine où elle se nicha comme un oiseau retrouvant le nid. Il l'entoura de ses bras, la serra contre lui, murmurant :

— Annie ! Oh, Annie.

Le cœur battant encore à un rythme effréné, il sentit son sexe perdre de sa rigidité, ferma les yeux et se contenta de rester en elle, s'émerveillant de cette expérience incomparable.

Au bout de quelques minutes, il entendit Annie murmurer à son oreille :

— Encore.

Il ouvrit les yeux, releva la tête pour la regarder et dit :

— Tu plaisantes ?

Avec une grimace de défi, elle remua les hanches contre lui et répondit :

— Pas le moins du monde !

Il reposa la tête sur l'oreiller et dit :

— Impossible.

— Possible ! rétorqua-t-elle.

Elle se hissa jusqu'à lui, lui mordilla la lèvre inférieure, provoquant chez David une réaction aussi subite que surprenante : son sexe obéissait complaisamment à son ordre. Aussi la fit-il basculer sous lui, s'attaqua à sa bouche, à son menton, à son cou qu'il lécha, titilla, la traitant de « sorcière » et d' enjôleuse ».

— Je sais, dit-elle, avec un petit air entendu.

Il se glissa un peu plus bas, prit un sein entre ses lèvres, puis l'autre, en mordilla le bout jusqu'à ce qu'elle gémit de douleur et de plaisir conjugués.

Elle se rejeta en arrière, offerte tout entière à ses mains, à ses lèvres. Il s'empara de ses hanches, de ses fesses, caressant, pétrissant avec une frénésie qu'elle lui rendait avec la même intensité.

Il sentit le désir renaître et rapprocha son visage du sien. Il posa de nouveau sa bouche sur la sienne pour un long baiser, prélude à de nouveaux plaisirs.

6.

Instinctivement, David chercha de la main le contact du corps tiède qui avait passé la nuit blotti contre lui. Le serrer dans ses bras, se repaître de sa douceur. Ne rencontrant que le vide, il ouvrit les yeux et grimaça de déception quand il réalisa qu'il était seul dans son lit.

Avec un soupir, il contempla le plafond, se remémorant la folle nuit qui venait de s'écouler, la passion débordante qu'il avait découverte chez Annie et qu'il avait pleinement partagée avec elle jusqu'aux petites heures du matin.

Un bruit de casseroles en provenance de la cuisine le ramena à la réalité. Il regarda le réveil, écarquilla les yeux de surprise en voyant l'heure tardive et bondit sur ses pieds en laissant échapper un juron. C'était la première fois depuis des années qu'il dormait aussi tard !

Il fonça vers la salle de bains et, un quart d'heure plus tard, fit son entrée dans la cuisine. Annie leva les yeux du fourneau où elle s'affairait, lui sourit d'un air complice et dit :

— Bonjour. Avez-vous bien dormi ?

Le regard de David s'attarda sur elle, sur les courbes féminines que le peignoir laissait deviner et qu'il avait tenues dans ses mains. Il leva les yeux vers elle et dit :

— Très bien, merci. Et vous ?

— Merveilleusement.

— Papa, moi aussi, j'ai bien dormi, dit la petite voix de Rachel.

David faillit sursauter quand il découvrit ses trois enfants assis autour de la table, devant leur petit déjeuner. Mal à l'aise, il eut l'impression qu'ils voyaient sur son visage les traces de ses frasques de la nuit et il marmonna :

— Très bien, choupette.

— Dis donc, papa, cela ne t'arrive jamais de te réveiller aussi tard. Tu n'es pas malade, au moins ? s'inquiéta Clay.

— Non, non, balbutia David.

Il commit l'erreur de regarder Annie qui réprima un sourire et lui tourna le dos. Reprenant son air sévère, il se dirigea vers le portemanteau, prit son chapeau et l'enfonça sur sa tête.

— J'ai eu une dure journée, hier, dit-il. Vous ne savez pas ce que c'est, vous, les gosses, ajouta-t-il sans raison.

Sur ces mots, il ouvrit la porte et la claqua derrière lui.

— Comme si on ne faisait jamais rien, s'exclama Tara, amère.

— C'est vrai que tu ne fais pas grand-chose, dit Clay, prenant la défense de son père.

— Parce que, toi, tu te tues au travail, peut-être ? dit sa sœur d'un ton agressif.

— Les enfants, ça suffit, intervint Annie.

Tara repoussa bruyamment sa chaise et lança :

— Pauvre type ! Je préfère m'en aller.

Et elle quitta la pièce. Avec un soupir, Annie enleva son tablier et reposa la spatule qu'elle tenait à la main.

— Vous deux, vous terminez de déjeuner et vous vous préparez pour l'école.

— Où allez-vous ? demanda Clay, la voyant se diriger vers la porte.

— Parler à Tara, dit-elle.

— De quoi ? demanda Rachel.

— Finis de déjeuner, ordonna Annie.

Elle grimpa l'escalier et se rendit chez Tara. L'adolescente était assise à sa coiffeuse, en train de se passer sur les lèvres une couche épaisse d'un rouge acajou foncé.

— Tu vas aller en classe avec ça ? demanda Annie, se campant derrière elle et s'adressant au reflet de Tara dans le miroir.

— Qu'est-ce que ça peut vous faire ? dit Tara d'un ton belliqueux.

Annie haussa les épaules.

— Je me demandais juste comme ça, dit-elle en tendant un Kleenex à Tara. Entre nous, je ne crois pas que ton père apprécierait.

L'enfant grimaça de frustration mais prit le Kleenex et se le passa sur les lèvres.

— De toute façon, il n'aime rien de ce que je dis ou de ce que je fais, dit-elle.

Il y avait tant d'amertume dans la voix de l'enfant qu'Annie en eut le cœur serré. Elle prit une brosse sur la coiffeuse et se mit à brosser les longs cheveux de la fillette.

— Il vous aime à sa façon, dit-elle.

— Qu'est-ce que vous faites ? cria Tara, essayant d'éviter la brosse avec laquelle Annie lui relevait les cheveux.

— Je voulais te montrer une coiffure, dit la jeune fille. Si tu les relevais, cela mettrait ton visage en valeur. Comme cela.

Elle lui en fit la démonstration avec sa propre chevelure qu'elle rassembla en chignon comme elle le faisait souvent pour se sentir plus à l'aise.

Tara regarda du coin de l'œil et haussa les épaules.

— Jamais cela ne tiendra ! se moqua-t-elle.

— Mais si, dit Annie, avec quelques pinces fantaisie ou une grosse barrette. Je peux t'en prêter si tu veux. Mais dépêche-toi si tu ne veux pas manquer le bus, ajouta-t-elle en lui prenant la main.

— Quel genre de barrette? demanda Tara, l'air toujours aussi renfrogné.

— Un peu tous les genres, dit la jeune fille d'un ton léger. Avec des fleurs, des perles de couleur, en bois, en métal. J'en ai tout un assortiment.

L'adolescente essayait de garder ses distances mais Annie se rendit compte qu'elle avait réussi à piquer sa curiosité. Effectivement, Tara concéda avec une petite moue :

— D'accord pour essayer, si je peux choisir.

Et elle suivit Annie dans sa chambre sans se faire prier.

Annie attendit que les enfants soient en route pour l'école. Elle rangea la cuisine, puis monta se doucher et s'habiller et se mit en quête de David. Elle le trouva devant la grange, penché sur un établi en train de réparer une pièce de machine.

— Hello ! dit-elle doucement, se penchant par derrière, au-dessus de lui et lui entourant le cou de ses mains. Qu'est-ce que vous faites ?

Il sursauta, laissa échapper la lourde pièce qui tomba bruyamment sur le sol et se redressa. Les sourcils froncés, il sortit un chiffon de sa poche et s'essuya les mains.

— Je travaille, dit-il sèchement.

— Je le vois bien, dit-elle, réprimant un sourire, mais cela ne me dit pas quel genre de travail.

De la main, il montra la pièce à ses pieds et expliqua de mauvais gré :

— Je raccourcis les courroies d'entraînement de la lieuse.

— Les courroies d'entraînement ? interrogea-t-elle, s'approchant de la pièce et essayant de voir de quoi il parlait.

De plus en plus sombre, il l'écarta d'un coup d'épaule et grommela :

— Pas le temps de vous faire un cours.

Et, ramassant l'engin, il se remit au travail.

— Je n'ai pas que cela à faire, moi.

Surprise du ton désagréable qu'il employait, Annie se rembrunit et recula d'un pas.

— Je ne vous ai rien demandé, remarqua-t-elle.

— Cela tombe bien, dit-il, ahanant sous l'effort qu'il déployait pour resserrer les écrous, parce que je n'ai rien à vous dire.

— Toutefois, reprit-elle très sûre d'elle, je ne m'attendais pas à être accueillie aussi grossièrement.

Il plongea la main dans la machine pour tester les courroies et ricana :

— Dommage pour vous !

Annie sentit la moutarde lui monter au nez. Elle l'attrapa par le col de sa chemise et le tira en arrière si rudement qu'il perdit l'équilibre et tomba assis par terre. En moins de deux, il était debout, le visage tout près du sien et tonnait :

— Ecoutez-moi bien, espèce de sale gamine, j'ai du travail et je n'ai pas une seconde à perdre pour jouer à vos jeux idiots.

Elle plaqua les deux mains sur son torse pour l'empêcher d'avancer et demanda :

— Contre qui êtes-vous en colère, David Rawley ? Moi ? Ou vous ?

Il plissa les yeux et elle vit la veine de sa tempe battre plus vite.

— Moi, marmonna-t-il après une seconde d'hésitation.

Puis, il tourna les talons tout en sortant le chiffon de sa poche.

Elle laissa échapper un soupir et dit à son intention :

— Au moins, vous êtes lucide et honnête. C'est déjà cela.

— Je suis surtout conscient de vos petites manigances de bonne femme, répliqua-t-il.

Elle leva les yeux au ciel.

— Voilà que je suis une femme maintenant. Il n'y a pas dix secondes, vous me traitiez de sale gamine !

Il eut un mouvement brusque de la tête pour la foudroyer du regard mais il ne vit que sincérité et innocence — teintées d'amusement, il est vrai —, dans les grands yeux tournés vers lui.

Il détourna les siens, aspira à fond, baissa le menton pour laisser passer l'air et, ayant retrouvé son calme, dit à voix basse :

— Je suis désolé.

— Pas moi, rétorqua-t-elle.

Il lui jeta un œil par-dessus son épaule et remarqua :

— La dernière fois que vous avez dit cela, c'était après vous avoir embrassée.

— Envie de recommencer ?

Il la dévisagea longuement, soupira, se débarrassa du chiffon et dit :

— Approchez-vous.

Il la prit dans ses bras, enfouit son visage dans ses cheveux et la berça.

— J'étais gêné, mal à l'aise, avoua-t-il.

— A cause des enfants ? suggéra-t-elle.

Il s'écarta un peu, remit une mèche de cheveux en place derrière l'oreille d'Annie et dit :

— Oui, à cause des enfants.

— Ils ne pouvaient pas savoir pourquoi vous ne vous étiez pas réveillé, dit-elle.

— Moi, je le savais.

Elle rit et passa ses bras autour de lui, lui massant le dos des épaules à la ceinture.

— Vous n'avez pas à vous sentir coupable, dit-elle. Je ne crois pas que les enfants seraient traumatisés s'ils découvraient que leur père est attiré par une femme. Ce n'est pas pour autant, évidemment, qu'il faut qu'on affiche ouvertement notre relation.

Elle réfléchit un instant et ajouta avec un sourire en biais :

— Encore que, cela pourrait ne pas leur faire de mal de savoir que vous vous intéressez à autre chose qu'à la ferme.

Il s'appuya contre elle avec un gémissement de malaise.

— On voit bien que ce ne sont pas vos enfants !

Annie regretta qu'il le lui rappelle car elle se sentait de plus en plus attachée au trio.

— Exact, dit-elle un peu tristement. Toutefois, je ne penserais pas autrement s'ils étaient mes propres enfants.

Soudain, il baissa les bras et s'écarta d'elle, la laissant plantée là et s'écria :

— Je savais que c'était une bêtise.

Elle sentit son sang se glacer dans ses veines et demanda :

— Qu'est-ce qui est une bêtise ?

— Ça, cria-t-il, lui faisant face et les désignant de la main, elle et lui. Vous et moi.

Il porta ses mains à sa tête en un geste d'impuissance et continua :

— Vous rendez-vous compte que vous êtes la nounou de mes enfants et que vous avez au moins dix ans de moins que moi ? De plus, je suis sûr qu'il y a des lois qui interdisent les rapports sexuels entre employeur et employée.

— Assurément, dit calmement Annie. Ces lois protègent les employées contre les employeurs abusifs, ceux qui contraignent leur personnel à des rapports sexuels non désirés. Vous ne m'avez pas forcée, que je sache, ni séduite contre ma volonté. J'ai décidé de mon plein gré que je souhaitais cette relation. Vous n'avez donc aucun reproche à vous faire.

— Je veux bien vous croire, rétorqua-t-il. Mais ne comptez pas sur moi pour recommencer. Je ne suis pas idiot à ce point là. Une fois suffit. Tenez-vous le pour dit.

Annie fut choquée par la sourde colère qui perçait sous les mots et encore plus par la froide détermination qu'il mettait à lui annoncer la fin de leur relation. Elle plongea son regard au fond de ses yeux, cherchant à y lire qu'il se rendrait compte de sa... bêtise, la vraie. Mais les yeux de David étaient plus que jamais de la couleur de l'acier et elle resta seule, avec sa fierté pour toute consolation.

Elle fit volte-face, se dirigea vers la maison, le cœur en miettes. Un instant, elle s'arrêta et lança :

— Entendu. Soyez certain que, de mon côté, je ferai tout mon possible pour ne pas me trouver sur votre chemin.

De la fenêtre de la cuisine, Annie vit les enfants sortir du car scolaire et se hâta de se passer une serviette humide sur les yeux. Inutile qu'ils se rendent compte qu'elle avait pleuré. Car elle s'était octroyée une petite séance d'auto-apitoiement. Elle déplorait la fin brutale et prématurée, — de son point de vue du moins —, de sa relation avec David. Assez pleuré sur elle-même et sur son triste sort, se dit-elle. Les enfants avaient droit à un accueil chaleureux et, en tant que nounou, c'était son devoir de leur faire bonne figure, de leur apporter le rayon de soleil dont ils avaient besoin. Leur vie était suffisamment problématique pour qu'elle n'y ajoute pas les petits soucis d'une adulte parfaitement capable de s'en sortir.

Comme ils remontaient l'allée, elle vit que Tara avait son air des mauvais jours. De mauvaise grâce, la jumelle se chargea du sac de Clay qui, lui, se dirigea en traînant les pieds vers la grange où l'attendaient les tâches journalières que son père lui avait assignées.

Un déclic se produisit chez Annie. Il fallait faire quelque chose pour leur redonner la joie de vivre qui convenait à leur âge, favoriser la relation avec leur père, mettre de l'huile dans les rouages. En un mot, qu'ils soient heureux de rentrer à la maison.

Elle eut une inspiration qui la fit se ruer à la porte de la cuisine. Elle l'ouvrit en grand et appela :

— Clay ! Clay !

Elle sortit sur le seuil et agita les bras, lui faisant de grands signes pour attirer son attention.

Il s'arrêta et plissa les yeux dans le soleil :

— Oui ?

Les filles arrivèrent à la porte et Annie les fit rapidement entrer, répondant à Clay.

— Viens, Clay. J'ai besoin de ton aide.

Indécis, le garçon jeta un œil vers la grange où il savait que son père l'attendait. Il eut un haussement d'épaules fataliste et prit le chemin de la maison.

— Pourquoi tu as besoin de Clay ? demanda Rachel dès qu'Annie revint dans la cuisine.

— De Clay et de vous deux, dit-elle, tirant les couettes de Rachel avec un sourire.

— Pour faire quoi ? demanda la petite fille les yeux brillant de curiosité.

— Tu verras. C'est une surprise.

Tara referma le réfrigérateur et regarda Annie d'un air dubitatif.

— Quel genre de surprise ? s'enquit-elle.

— Tu verras bien, dit Annie, le visage rayonnant de joie.

David sortit de la grange, s'essuyant les mains sur le fameux chiffon dont il ne se départait, apparemment, jamais. Il regarda vers la maison et fronça les sourcils, agacé. Les enfants étaient certainement rentrés et Clay aurait dû être au travail.

Au même moment, il entendit des rires et cela ne fit qu'accentuer son irritation. Jetant le chiffon, il s'avança vers la maison. Si ce gamin était en train de s'amuser alors que son travail attendait…, marmonna-t-il sur un ton menaçant en remontant l'allée.

Il tourna le coin de la maison et n'eut pas le temps d'éviter le projectile qui le frappa à la tête, faisant s'envoler son chapeau. Pestant et jurant, il leva la tête alors que de l'eau ruisselait sur son visage, lui obscurcissant la vue. Malgré cela, il distingua les quatre silhouettes, pétrifiées au milieu de la pelouse et qui le regardaient avec des yeux agrandis par la crainte.

Clay laissa tomber la bombe à eau qu'il tenait et, nerveux, recula d'un pas.

— Désolé, papa, s'excusa-t-il. C'est Annie que je visais.

David se passa la main sur son visage dégoulinant et s'indigna :

— Qu'est-ce qui se passe ici ?

Ce fut Rachel qui répondit :

— On fait une bataille de bombes à eau, expliqua-t-elle de sa voix flûtée. Annie et moi contre Clay et Tara. Tu veux jouer ?

122

David n'en croyait pas ses oreilles. Furieux, il se tourna vers Annie et Clay. D'une voix qui tremblait d'une colère mal contenue, il répéta :

— Une bataille de bombes à eau !

Il était fou de rage et ne put que répéter une nouvelle fois :

— Une bataille de bombes à eau ! Alors que le travail attend !

Annie vit son visage rouge de colère, sa mâchoire crispée, entendit sa respiration haletante et, sans réfléchir, prit son élan et lança la bombe qu'elle tenait en main aussi fort qu'elle put. Elle atteignit David en pleine poitrine et explosa, l'inondant de la tête aux pieds.

Il écarquilla les yeux sous l'effet de la surprise, puis fronça dangereusement les sourcils et gronda :

— Vous allez le regretter !

Menaçant, il s'avança vers elle et elle tendit une main pour l'arrêter.

— Ce n'est qu'un jeu, David, s'exclama-t-elle avec un rire nerveux.

Quand elle vit qu'il continuait à avancer, elle lui tourna le dos et partit en courant mais il plongea au sol et l'attrapa par la cheville. Elle tomba dans l'herbe tandis que Rachel criait de loin :

— Je viens t'aider.

Annie roula sur le dos, le cœur battant, David au-dessus d'elle et elle redit pour sa défense :

— C'est un jeu, Dave !

Mais elle eut à peine le temps de finir qu'elle vit avec horreur que Rachel tenait un ballon plein d'eau au-dessus de la tête de son père.

— Rachel, cria-t-elle. Non !

Trop tard ! Le ballon éclata, inondant David et Annie.

Mais David ne cilla pas. Il avait les yeux fixés sur la jeune fille, des yeux remplis de désir et de frustration. Elle sentit les genoux de l'homme se resserrer autour de ses hanches et les mains qui la tenaient aux épaules se mirent à trembler. Il regardait sa bouche et elle dut faire un effort surhumain pour ne pas céder à l'envie de répondre à son appel silencieux.

Il détourna lentement les yeux et leva une main, appelant :

— Rachel ! Apporte un ballon à papa.

Horrifiée, Annie protesta :

— Vous n'allez pas faire ça !

Quand elle comprit qu'il était sérieux, elle essaya de se libérer, se débattant du mieux qu'elle pouvait. Mais il la maintenait fermement et, avec un sourire vengeur, prit le ballon que Rachel lui tendait. Il le tint un instant au-dessus d'Annie qui tentait de se protéger mais, d'une pression de la main, il le fit éclater et elle fut copieusement aspergée. Elle toussa, cracha tout en riant.

— Ce n'est pas juste ! protesta-t-elle.

— Comment cela, pas juste ? dit-il.

Il appela :

— Tara, donne-moi ton ballon !

Tara regarda Annie et, de mauvais gré, mit son ballon dans la main de son père. Il s'assit sur l'estomac d'Annie et tint le ballon au-dessus d'elle qui priait sans cesser de rire :

— Non ! De grâce !

— Je croyais que vous aimiez ce genre de jeu ? s'indigna-t-il.

— Vrai, cria-t-elle quand il déversa la bombe sur elle pour la seconde fois.

Quand elle put parler, elle cria à l'adresse des enfants :

— Alors ! Personne ne vient m'aider ?

Elle vit Tara et Clay hésiter mais Rachel s'empara d'un ballon préparé dans le panier à linge et se précipita vers son père. Sans hésitation, elle lui déversa le ballon sur la tête. Il leva les bras, l'attrapa par derrière et la fit passer par-dessus sa tête, la clouant au sol et libérant Annie dans la foulée.

Rachel, ravie, essaya de lui échapper mais il la retint par la cheville, disant :

— Tu es un traître et tu vas subir le châtiment réservé aux traîtres.

— Non, non, cria-t-elle en riant. S'il te plaît, papa !

Du coin de l'œil, Annie vit Clay s'approcher par derrière, un ballon dans chaque main. Un peu inquiète, se demandant comment tout cela allait finir, Annie le regarda déverser ses ballons sur la tête de son père. L'instant d'après, il était cloué au sol à son tour tandis que Rachel se relevait et que Tara se mettait de la partie, sautait sur le dos de son père, volant au secours de son jumeau. Tous criaient, gesticulaient, riaient. David avait fort à faire avec Clay et Tara alors que Rachel ne savait plus où donner de la tête, passant de l'un à l'autre suivant les aléas de la bataille.

Annie regardait la scène avec un sourire de satisfaction incrédule. Se pouvait-il qu'elle ne rêve pas ? David Rawley était en train de jouer avec ses enfants.

Plus tard, les choses reprirent leur cours normal. Annie supervisa les devoirs, mit Rachel au bain et lui lava les cheveux. Contrairement à ses habitudes, David rentra tôt et aida à mettre le couvert. Or, à chaque fois qu'il se heurtait à Annie pour une raison ou pour une autre, elle sentait une sorte de courant électrique passer entre eux. Assis entre les enfants, à la table du dîner, l'un et l'autre avaient du mal à ne pas se quitter des yeux.

Mille fois, au cours du repas, Annie crut défaillir de désir frustré. Finalement, ce fut l'heure pour les enfants d'aller se coucher. Elle mit rapidement de l'ordre dans la cuisine et monta se réfugier dans sa chambre.

Incapable de dormir, elle arpenta la pièce, toutes ses pensées tournées vers celui qui dormait à l'étage en dessous. Viendrait-il la rejoindre ? A lui de prendre la décision, cette fois. Il était hors de question qu'elle fasse le premier pas après la scène de la grange. Ne lui avait-il pas clairement dit qu'il ne renouvellerait pas la bêtise de la nuit précédente ?

Pour se changer les idées, elle changea de place quelques bibelots, admira une fois de plus le lit de cuivre ouvragé qui contribuait au charme de la pièce, passant la main sur les montants chantournés. La première fois qu'elle avait dormi dans cette chambre, elle s'était promis de ne pas attacher d'importance à son cadre de vie puisqu'elle ne ferait dans cette ferme qu'un séjour éphémère. Toutefois, les meubles anciens, l'atmosphère vieillotte et authentique de la pièce l'avaient séduite. Elle s'était aussi promis de ne pas s'attacher à la famille dont elle allait s'occuper car elle avait appris à ses dépens que ce genre d'investissement affectif finissait toujours mal pour celui ou celle qui y avait cru.

Elle poussa un soupir désabusé et s'approcha de la fenêtre. Entre les rideaux de dentelle, la lune projetait un cercle de lumière argentée sur les lattes anciennes du plancher. Pensive, elle réalisa que la promesse qu'elle s'était faite de ne pas s'attacher à la famille n'était qu'un leurre. Elle aimait cette pièce, cette maison et la famille qui y vivait. Pire encore, reconnut-elle, le cœur serré, elle ne pouvait plus se le cacher, elle… aimait le chef de famille, David.

Elle l'aimait d'amour.

Elle aimait celui qu'elle avait découvert sous la carapace. Elle seule savait ce que cachaient ses airs bourrus : la tendresse dont il était capable, l'humour aussi qu'il maniait

126

à ses heures. Elle s'était lancé le défi de faire sortir le loup du bois et y était parvenue. En partie, seulement.

Car, heureusement pour elle, elle gardait la tête sur les épaules et se rendait compte que cet amour n'était pas partagé et ne le serait jamais. Elle avait compris que le loup était rentré dans son antre, bien décidé à ne plus en sortir. Malgré cela, elle savait que le jour où elle partirait, elle laisserait derrière elle un morceau de son cœur. Les larmes aux yeux, elle regarda les champs endormis, se demandant combien de temps elle allait pouvoir laisser ainsi des morceaux de son cœur ici et là sans rien recevoir en retour. Que lui resterait-il pour finir ?

Déprimée par cette idée, elle sortit sur le palier. D'un pas léger pour ne pas réveiller les enfants, elle descendit l'escalier, ouvrit la porte et passa sous le porche. Elle aspira profondément l'air frais de la nuit, les bras serrés contre elle comme pour se réconforter.

Elle s'aventura sur la pelouse et un sourire lui monta aux lèvres au souvenir de la bataille épique qui s'était déroulée ici même un peu plus tôt. En fait, elle n'avait organisé cette bataille que pour distraire les enfants et leur procurer des jeux de leur âge ; elle n'avait pas prévu que David s'en mêlerait. Maintenant, elle se félicitait que cela lui ait offert l'occasion pour lui de partager quelque chose avec ses enfants. Quel plaisir de le voir se battre de bon cœur et rire ! Cela lui avait fait chaud au cœur. N'étaient-ce pas les prémices de meilleures relations au sein de la famille ?

Elle-même en avait oublié sa colère et son ressentiment à l'encontre de… son employeur, ne retenant que la conscience aiguë de leur proximité accidentelle au cours de leurs ébats et l'intensité des regards échangés. C'est cela qui la tenait éveillée sans espoir de satisfaction possible.

Elle se tourna vers la maison, vers la fenêtre de la chambre de David entrouverte, plongée dans le noir. Les rideaux s'agitaient doucement dans la brise et elle se revit s'éveillant dans ses bras, ce matin même, après une nuit mémorable. Quel accueil lui réserverait-il si elle osait aller vers lui ? se demanda-t-elle. Serait-il heureux de la retrouver près de lui ?

Hors de question, se redit-elle avec un soupir douloureux. D'un pas ferme, elle se dirigea vers la grange, monta à l'échelle pour rendre visite à la chatte et ses chatons. A pas prudents, elle se fraya un chemin entre les bottes de paille vers le coin où la chatte avait élu domicile. Rassemblant les pans de son déshabillé autour d'elle, elle s'accroupit près de la bête et se mit à lui parler doucement.

— Bonjour, toi. Est-ce que je peux prendre un de tes bébés dans mes mains ? dit-elle.

Tout en gardant un œil sur la mère, elle prit un chaton qu'elle serra contre elle.

— Bonjour, bébé, murmura-t-elle, le tenant dans la lumière d'un rayon de lune qui filtrait entre les tuiles.

Elle vit le chaton ouvrir grand la bouche et émettre un petit miaulement, montrant une minuscule langue rose.

— Sais-tu que tu es adorable ? dit-elle, admirant le pelage strié de noir et de gris.

— Cette « adorable bestiole », comme vous dites, va vous couvrir de puces, dit une voix dans son dos.

Elle sursauta violemment, resserrant ses mains sur le chaton. Elle tourna la tête et distingua dans la pénombre David Rawley, étendu à plat ventre sur une couverture au milieu des bottes de paille, et qui la regardait. Surprise de le voir là alors qu'elle le croyait endormi dans son lit, elle demanda :

— Qu'est-ce que vous faites là ?

Il s'assit et marmonna :

— Pouvais pas dormir.

Elle sourit, remit le petit chat auprès de sa mère et affirma tranquillement :

— Et vous étiez inquiet.

Il leva les yeux vers elle qui s'approchait.

— Inquiet ? De quoi ?

— Pour la chatte, dit Annie. Vous vous demandiez comment elle s'en sortait, si elle arrivait à laisser ses bébés pour aller chasser et se nourrir.

Des deux mains, il agrippa la botte sur laquelle il était assis et avec un haussement d'épaules, assura :

— C'est bien le cadet de mes soucis. Je n'y ai plus pensé depuis le jour où vous avez pris des photos de la nichée.

— Vraiment ? taquina Annie, montrant de la main les bols d'eau et de nourriture.

Elle rit à le voir rougir et, s'asseyant à côté de lui, lui passa un bras autour des épaules.

— C'est bien ce que je pensais, David Rawley, dit-elle. Vous n'êtes qu'un gros nounours au cœur tendre.

— C'est cela, dit-il. Gardez vos illusions.

Spontanément, elle déposa un baiser sur sa joue et appuya son front contre le sien.

— Je n'oublierai pas, promit-elle.

Elle l'entendit soupirer et le sentit se détendre.

— Merci pour... vous savez quoi, dit-il à voix basse, s'empêtrant dans les mots.

— Non, je ne sais pas, dit-elle, estimant que cela lui serait bénéfique d'exprimer clairement ce qu'il avait à dire.

Il pencha la tête pour mieux la regarder et dit avec un éclair de gaieté dans les yeux :

— Merci de m'avoir pratiquement noyé !

Et sans plus d'avertissement, il la fit basculer dans la paille.

Elle rit, soulagée de le voir détendu, et le laissa s'allonger au-dessus d'elle, en appui sur les mains.

— Oh, là là ! s'exclama-t-elle, lui relevant les cheveux. Qu'est-ce qui se passe ici ?

Il se laissa tomber sur elle pour lui montrer de quoi il s'agissait, en effet, et dit :

— Vous avez eu de la chance que les enfants aient été avec nous, tout à l'heure. Sinon, j'étais capable de vous faire l'amour, sur la pelouse et en plein jour.

Elle eut un petit frisson rétrospectif, pas désagréable du tout, et elle se mit à lui caresser le dos, s'attardant sur les épaules musclées, les flancs sans un pouce de graisse.

— Je croyais vous avoir entendu proclamer que c'était une énorme bêtise, s'étonna-t-elle. Me suis-je trompée ?

Il s'étendit sur elle de tout son long, sans ménagement et répondit :

— Non et je n'ai pas changé d'avis.

Il lui mordilla la lèvre et continua :

— Je maintiens que vous êtes un poison de première grandeur. Un poison avec un grand « P » et je l'ai su dès le premier jour.

Comme il insistait pour lui prendre les lèvres, elle temporisa et s'indigna :

— Alors, qu'est-ce que vous fabriquez, ici, avec moi ?

Il renforça le poids de ses hanches sur elle et demanda :

— Besoin d'un dessin ?

Elle rit de nouveau et le prenant aux hanches, le tint fermement contre elle, disant :

— Vous vous souviendrez que c'est vous qui l'avez voulu ?

130

— Non. C'est votre faute, assura-t-il à la manière d'un enfant obstiné. Tout est votre faute.

— Ma faute ? protesta-t-elle. Comment cela ? Qu'ai-je fait ?

— Vous êtes là. Le simple fait d'exister, de respirer. Je ne sais pas comment vous vous y prenez, mais cela suffit à me rendre fou.

Il roula sur le dos et la fit passer au-dessus de lui. Il enfonça ses mains dans ses cheveux, les faisant glisser entre ses doigts, cherchant sa bouche avec une avidité dont elle se réjouit. Il y avait une sorte d'intensité désespérée dans ses caresses maladroites, un désir exacerbé dans son membre dressé entre eux. Tout pour Annie était pure gratification, des grondements de gorge qui lui échappaient aux baisers passionnés sur ses épaules, son cou…

— Vous avez le goût du soleil, dit-il.

— Ça ressemble à quoi ? demanda-t-elle, curieuse.

— C'est chaud et doré, dit-il.

Il lui releva les cheveux en arrière et découvrit mieux son cou pour le lécher avec délice.

— Il y a aussi un goût de miel, dit-il, reprenant ses lèvres.

Avec une moue de dépit, elle s'insurgea :

— On dirait la description d'une carte de menu !

Sans la quitter des yeux, il lui prit un doigt qu'il mit dans sa bouche, refermant étroitement les lèvres autour. Il se mit à le sucer et le sang d'Annie ne fit qu'un tour ; une onde de chaleur la parcourut de la tête aux pieds tandis qu'il souriait de satisfaction, très conscient de l'effet qu'il produisait. Au bout de quelques minutes, il enleva le doigt et lui prenant la main, la posa sur son torse, paume ouverte. Elle sentit le cœur de David battre à grands coups et vit ses yeux perdre

131

de leur éclat, s'assombrir jusqu'à ne plus refléter qu'un immense désir.

— Je te veux, dit-il d'une voix rauque et chargée de violence contenue. Tu ne me lâches plus. Tu m'obsèdes jour et nuit, partout, où que je sois et quoi que je fasse. Je sais que je ne devrais pas, mais j'ai envie de toi. Là, tout de suite.

Joignant le geste à la parole, il défit la fermeture de son jean, s'en débarrassa prestement, fit de même pour les vêtements d'Annie et en un rien de temps, elle était sous lui, entièrement nue. Il enfila le préservatif et se prépara à entrer en elle. Ses yeux rivés aux siens, il baissa la tête, prit le bout d'un sein gonflé dans sa bouche tout en poussant son membre là où elle l'attendait. Elle arqua le dos pour venir à sa rencontre. Sans lui laisser le temps de respirer, il adopta un rythme soutenu, allant toujours plus loin à chaque mouvement de hanches.

Annie s'étonnait d'avoir si chaud. Elle transpirait, la peau luisante, manquait d'oxygène et, à petites goulées, aspirait l'air brûlant du grenier qui lui sembla s'être raréfié. Cette chaleur qu'elle avait tout d'abord trouvée réconfortante devint son ennemie, l'élément dévastateur qui ravageait tout sur son passage sans rien épargner, faisant d'elle un pantin traversé de sensations détonantes.

Les mains de son amant étaient partout sur elle, attisant les flammes, la prenant par surprise, détectant des points de sensibilité qu'elle ignorait, l'entraînant toujours plus haut sur une mer démontée de vagues sans fin.

Elle se cramponna à ses cheveux, rapprochant son visage et sans qu'elle eût rien à dire, il lui prit la bouche, poussant sa langue comme il poussait son membre, au même rythme fou et déchaîné.

Le raz de marée final déferla sur eux subitement mettant à mal tous ses sens, la forçant à chercher une bouffée d'air.

Elle s'arqua en arrière plus encore, plaquée contre David, accrochée à ses cheveux et ne put retenir un cri quand la vague la submergea.

Lentement, ses membres tendus se décrispèrent et elle lâcha prise, baissant les mains sur les hanches de son homme qui gémissait et tremblait sous l'effet de son propre orgasme.

Une dernière aspiration profonde pour reprendre pied et permettre aux muscles noués par la tension de se détendre ; après quoi, ils roulèrent sur le côté, étroitement enlacés. David, inquiet, les lèvres dans les cheveux d'Annie, murmura à son oreille :

— Ça va ?

— Oui, dit-elle, levant la tête pour le regarder. Et toi ?

Il sourit et dit :

— Oui. Puisque je suis avec toi.

7.

Fidèle à elle-même, Annie chantonnait, s'affairant à la préparation du petit déjeuner. Elle avait déjà cru, en d'autres occasions, connaître le bonheur. De son propre aveu, elle s'était trompée. C'était maintenant qu'elle était vraiment heureuse, qu'elle connaissait cette sensation de plénitude à chaque fois qu'elle pensait à David. Cette énergie aussi qui lui venait de nulle part malgré le manque de sommeil, cette gaieté spontanée qui aplanissait tous les obstacles.

Le simple fait de revivre en pensée leur nuit dans le grenier, au milieu des odeurs de paille et de foin, la fit soupirer d'aise tandis qu'elle retournait habilement la crêpe dans la poêle. Elle la faisait glisser sur une assiette quand elle se sentit attirée contre une poitrine dure comme un roc tandis que deux grandes mains fortes se refermaient sur ses seins.

— Bonjour, murmura la voix de David à son oreille.

— Bonjour, dit-elle, la tête sur le côté, lui offrant ses lèvres.

Tout juste sorti de la douche, il sentait l'eau de Cologne et avait le goût de menthe de son dentifrice. Ils échangèrent un baiser qui parut à Annie étrangement familier.

— Les enfants sont debout ? demanda-t-il.

— Oui. Ils se préparent pour l'école, dit-elle, fermant les yeux car, sous la pression de ses mains, elle se sentait fondre.

— Après leur départ, que dirais-tu de m'accompagner dans ma tournée du bétail ?

— Comment ? A cheval ? interrogea-t-elle, ouvrant grand les yeux.

— On pourrait, dit-il, mais je pensais prendre la camionnette.

— Oh ! dit-elle, sans déguiser son soulagement. Pourquoi pas ? Ce serait chouette.

Avec un petit rire, il lui pressa les seins et la relâcha.

— Tu n'aimes pas monter ?

Un peu déstabilisée sans le grand corps de David pour la soutenir, elle s'appuya au comptoir et dit :

— Comment le saurais-je ? Je n'ai jamais essayé.

— Il faudra qu'on remédie à cela, dit-il hochant la tête. Mais pas aujourd'hui, s'empressa-t-il d'ajouter quand il vit les yeux d'Annie s'emplir d'appréhension.

Il attrapa son chapeau et suggéra avec une grimace de malice :

— Ce serait bien d'emporter un pique-nique. Et, pendant que tu y es, mets aussi une couverture. Mon dos me démange encore après la séance de cette nuit dans la paille.

Sur un clin d'œil complice, il sortit.

Elle rit toute seule et, prenant l'assiette de crêpes la posa sur la table. Elle sursauta en se trouvant face à Tara, debout dans l'embrasure de la porte qui menait à l'entrée. Elle se reprit et dit aussi naturellement qu'elle le pût :

— Bonjour, Tara. Tu m'as fait peur. Je ne t'avais pas entendue entrer.

— Bonjour, fit la jeune fille.

Elle s'assit à la table, examinant Annie d'un regard soup-çonneux.

— Qu'est-ce que papa a voulu dire à propos de la paille qui lui grattait le dos ? demanda-t-elle.

Dos tourné pour mieux cacher son trouble, Annie espéra que l'enfant ne l'avait pas vue rougir et prit son temps pour répondre.

— Ton père ne pouvait pas dormir, cette nuit. Il est sorti prendre l'air et a fini la nuit dans le grenier.

— Papa a dormi dans le grenier ? s'exclama Clay.

Il venait d'arriver et avait entendu la fin de la conver-sation.

— Oui, dit Annie. Il ne pouvait pas dormir. Il est sorti faire un tour et a fini dans le grenier.

Ce qui n'était pas tout à fait un mensonge, tenta-t-elle de se convaincre. David avait bien dit qu'il était monté dans le grenier parce qu'il n'arrivait pas à s'endormir.

— C'est complètement dingue, dit le garçon.

— Qu'est-ce qui est complètement dingue ? demanda à son tour Rachel, qui entra en balançant ses couettes.

Annie leva les yeux au ciel, s'apprêtant à redire l'histoire une troisième fois. Tara vint à son secours et répéta pour sa sœur :

— Papa a dormi dans le grenier parce qu'il n'arrivait pas à dormir dans sa chambre.

— Oh ! dit Rachel, grimpant sur sa chaise. Est-ce que, moi aussi, je peux dormir dans le grenier, ce soir ?

Annie étouffa un rire et dit :

— Non. Ce n'est pas très indiqué.

— Pourquoi ? insista la petite fille. Papa l'a bien fait !

— C'est une grande personne qui sait se débrouiller.

L'enfant fit la moue et affirma :

— Moi aussi je sais me débrouiller.

— Tu parles ! dit Clay. Le premier coyote qui pousse son cri et tu rappliques à la maison en hurlant et en pleurant !

— Je ferai jamais ça ! protesta Rachel.

— Moi si, dirent en chœur Tara et Clay.

Annie les laissa discuter sans intervenir, trop heureuse de les voir penser à autre chose qu'à la nuit dans le grenier. La nuit qu'elle avait partagée avec David.

A travers le feuillage, David sentait la chaleur du soleil sur son visage. Maintenant, si le reste de son corps était lui aussi inondé de chaleur, c'était dû à la jeune femme endormie contre lui. Avec précaution, pour ne pas la déranger, il changea de position et se mit sur le côté, les yeux fixés sur Annie. Avec son semis de taches de rousseur sur les pommettes, son nez légèrement retroussé, nul doute qu'un esthète l'aurait qualifiée tout au plus de « mignonne » ; mais pour David, seul le mot « superbe » correspondait à ce qu'il ressentait en la voyant.

Superbe, merveilleuse. Pour lui en tout cas. Et pas seulement du point de vue physique. Il appréciait par-dessus tout sa générosité, sa gentillesse, sa gaieté spontanée. C'est cela qui la rendait aussi attirante. Cela et une féminité innée, toute de délicatesse et de séduction naturelle que bien des femmes lui auraient enviée. Difficile de lui résister !

D'ailleurs, il se demanda pourquoi il essaierait de lui résister. Il s'y était efforcé. En vain. Il avait fini par capituler, incapable de la chasser de son esprit. D'autre part, il n'avait aucun reproche à se faire, estima-t-il, puisqu'il avait clairement posé les règles du jeu, et ce, dès le départ. Une relation purement physique, avait-il annoncé. Rien d'autre. C'était ce qu'il lui avait proposé et elle n'avait pas protesté. Elle n'avait pas paru choquée par les limites qu'il assignait à leur relation. Alors pourquoi se sentait-il mal à l'aise ? s'interrogea-t-il, troublé malgré tout.

La réponse ne se fit pas attendre. Il était trop honnête pour s'y dérober.

« Tout simplement parce que tu as dépassé la relation physique, imbécile ! Qu'elle ne t'est pas indifférente ! Avoue que tu l'aimes… bien ! »

Cette révélation brutale, venue du fond de lui-même, lui fit froid dans le dos et il eut la tentation de rejeter cette découverte comme pur produit de son imagination. Finalement, il poussa un soupir résigné, renonçant à se cacher la vérité. Elle ne lui était pas indifférente : exact. Elle lui tenait à cœur. Et s'il n'y prenait garde, cela pourrait aller plus loin. Il pourrait fort bien tomber amoureux d'elle. Il n'y avait qu'un pas, réalisa-t-il. Sans qu'elle ait rien fait. Parce qu'elle rayonnait de sincérité, d'honnêteté, d'attention aux autres à tel point que ses enfants l'adoraient et l'avaient mise sur un piédestal. Elle avait même réussi à gagner la confiance de Tara, la plus difficile des trois. C'est dire !

Annie soupira dans son sommeil et se rapprocha de lui, les doigts emmêlés dans les poils de son torse. Il repoussa ses cheveux et lui caressa la joue ; elle se frotta contre sa main avec un sourire involontaire et posa ses lèvres sur son torse. Au souffle de sa respiration sur sa peau, il sentit le désir monter en lui.

La peur également. Peur de ne pas maîtriser les mouvements de son coeur. S'il ne se retenait pas, il pourrait bien franchir le pas et se mettre à aimer Annie d'amour.

S'il y avait une chose que David détestait, c'était de participer aux rassemblements et fêtes organisés par les écoles de ses enfants. Non seulement parce qu'il pensait au travail de la ferme qui l'attendait mais aussi parce qu'il redoutait les regards curieux que sa présence ne manquait jamais d'attirer.

Cela datait de l'époque où, en tant que tuteur de Penny, il s'était fait un devoir d'assister aux réunions, pièces de théâtre ou autres événements qui la concernaient. Les gens lui avaient jeté des regards apitoyés ou admiratifs qui le mettaient mal à l'aise. Il ne redoutait rien tant que de se sentir le centre de l'attention. C'est pourquoi, ces derniers temps, il s'était souvent trouvé de bonnes excuses pour échapper à la corvée.

Néanmoins, ce soir-là, Annie n'avait rien voulu entendre et l'avait embarqué presque de force pour la fête donnée par l'école de Rachel. Ils n'étaient pas plutôt arrivés qu'il regrettait déjà de s'être laissé convaincre.

Les regards plus ou moins furtifs dont il était l'objet l'agaçaient prodigieusement et il s'étonnait que les gens n'aient rien de mieux à faire que de s'intéresser aux faits et gestes de David Rawley. Deux ou trois mères célibataires qui, après la mort de sa femme, lui avaient laissé entendre qu'elles seraient disposées à lui tenir compagnie s'il en ressentait le besoin, examinaient Annie de la tête aux pieds d'un œil envieux, comme si elles se doutaient que leur relation n'était pas uniquement celle d'employeur à employée. D'autres s'apitoyaient encore sur son sort, se rappelant les drames qui avaient ponctué sa vie : le décès accidentel de ses parents, puis celui de sa femme. Il aurait dû leur en être reconnaissant, considérer qu'eux au moins ne s'intéressaient pas à sa vie sexuelle et ne le soupçonnaient pas d'avoir des rapports illicites avec la nounou de ses enfants. Toutefois, ce n'était pas du soulagement qu'il ressentait mais, bel et bien, une ombre de jalousie.

Car il ne fut pas long à réaliser qu'Annie attirait les regards. De façon plus ou moins évidente, les hommes ne se gênaient pas pour la dévorer des yeux. Il aurait dû, se dit-il, lui suggérer de mettre autre chose que la petite robe jaune qu'elle portait. De fines bretelles, une jupe ultra-courte, découvraient et les épaules et de longues jambes élégantes qui ne laissaient pas ces messieurs indifférents.

Irrité par les regards admiratifs, David lui mit la main autour de la taille et l'entraîna à grands pas vers le buffet, à l'autre bout de la pièce.

— Qu'est-ce qui se passe ? s'étonna-t-elle, suivant difficilement sa longue foulée.

— J'ai pensé que vous aimeriez goûter le punch, dit-il, heureux d'avoir trouvé ce prétexte.

Elle le regarda un peu surprise et, prenant le verre qu'il lui tendait, dit :

— Merci, David. C'est très gentil.

Il grommela :

— Je suis capable d'attentions quand j'en ai envie.

Elle but une gorgée de sa boisson et dit d'un ton lourd de sous-entendus :

— Je sais !

Elle rit parce qu'il rougissait sous son hâle. Au même moment, une voix appela :

— Monsieur Rawley !

David se retourna et soupira en voyant la maîtresse de Rachel se diriger vers eux. Il la salua d'un signe de tête :

— Bonsoir, madame Sharp.

— Bonsoir. Vous êtes Annie, n'est-ce pas ? dit la dame, tendant la main à la jeune fille. J'ai beaucoup entendu parler de vous.

Annie éclata de rire :

— J'espère que ce n'était pas en mal !

140

— Loin de là, dit Mme Sharp. Rachel ne tarit pas d'éloges à votre sujet, à tel point que je m'attendais à vous voir avec une auréole derrière la tête et des ailes dans le dos !

Annie rit de nouveau :

— En voilà au moins une que j'ai réussi à duper, dit-elle.

— Elle est si heureuse à l'idée que vous allez vous marier, enchaîna Mme Sharp, avec un grand sourire.

Le rire d'Annie s'étrangla dans sa gorge.

— Nous marier ? interrogea-t-elle.

— Oui, dit la dame, perplexe, jetant un coup d'œil gêné à David.

Comme il ne réagissait pas, elle eut un doute.

— Oh ! se reprit-elle, réalisant que quelque chose n'allait pas, j'espère que ce n'est pas un secret. Rachel ne m'en a rien dit. Si elle a trahi vos projets, ne lui en tenez pas rigueur, elle n'y a vu aucun mal. Au contraire.

Au retour, Annie et David n'échangèrent pas un mot et un silence lourd de non-dits s'installa entre eux. Heureusement, les enfants ne parurent pas trouver étrange le silence de leur père et leur nounou. Ils bavardaient et riaient de bon cœur, se racontant de menus faits de la soirée. Annie, quant à elle, n'osait pas même regarder David qui conduisait vite, la mâchoire serrée. Pas besoin de le regarder, d'ailleurs, pour deviner qu'il était furieux. Il n'avait rien dit jusqu'à maintenant mais l'orage n'allait pas tarder à éclater, estima-t-elle, lui faisant craindre le pire.

David gara la voiture devant la maison puis, passant le bras sur le dos de son siège, se tourna vers l'arrière, fusillant les enfants du regard. Ils se turent aussitôt et leurs sourires s'effacèrent.

— Rachel, dit-il sèchement, as-tu dit à Mme Sharp qu'Annie et moi, on allait se marier ?

Au ton sévère de son père, les yeux de la petite fille s'emplirent de larmes et elle dit :

— Oui, papa.

— Qu'est-ce qui t'a pris ? demanda-t-il, haussant le ton. Tu sais très bien que ce n'est pas vrai.

Rachel se tourna vers sa sœur et d'une voix tremblante, murmura :

— C'est Tara qui m'a dit que...

David se tourna vers sa fille aînée et demanda abruptement :

— Qu'est-ce que tu lui as raconté ?

Tara mit la main sur la portière et, sur un ton de défi, lança :

— Je lui ai dit qu'Annie et toi, ç'avait l'air d'aller et que si ça continuait, vous pourriez décider de vous marier.

David attrapa sa fille par le bras, l'empêchant de quitter la voiture. Il affirma avec force en détachant chacun de ses mots :

— Il n'est pas question de mariage. Vu ? Ni maintenant. Ni plus tard. Tu te mets cela dans la tête. Annie est votre nounou. Point.

Tara échappa à la poigne de son père, ouvrit la portière et jeta :

— Ben tiens ! Annie n'est pas assez bête pour t'épouser !

Sur ces mots, elle sortit de la voiture en claquant la portière derrière elle.

Pendant cet échange, Annie eut l'impression qu'on lui plongeait un poignard dans le cœur. Les vagues espoirs qu'elle avait entretenus malgré elle d'une relation durable avec David s'évanouirent. Il suffisait d'un coup d'œil à son profil rigide pour savoir qu'il ne reviendrait pas sur sa décision. Elle sentit les larmes lui brûler les yeux et se concentra sur le pare-brise et, au-delà, sur le jardin, plongé dans l'ombre du crépuscule.

Après un regard gêné à Annie, Clay poussa Rachel hors de la voiture, disant :

— Viens, choupette. Je vais t'aider à te mettre au lit.

Annie mit la main sur la poignée de sa portière et s'apprêtait à l'ouvrir quand elle sentit la main de David sur son bras.

Elle respira à fond, s'efforçant de lui présenter un visage neutre. Elle se tourna vers lui, sans toutefois lever les yeux.

— Oui ? dit-elle.

— Cette histoire ne vous a pas bouleversée, j'espère, dit-il, visiblement mal à l'aise.

Au prix d'un terrible effort sur elle-même, elle réussit à ébaucher un sourire et à le regarder.

— Non. Pourquoi le serais-je ? demanda-t-elle. Aucune raison.

Puis les mots se bousculèrent et elle dit très vite :

— Vous avez été très clair depuis le début. C'était d'une relation physique qu'il s'agissait. Vous ne m'avez rien promis. Vous ne m'avez jamais laissé entrevoir autre chose. J'étais d'accord et je n'attendais rien d'autre.

Ce soir-là, comme chaque fois que quelque chose le préoccupait, David se tenait à la fenêtre de sa chambre, le front plissé de contrariété. Il contemplait sans le voir le jardin plongé dans l'obscurité.

Il ne cherchait pas à se cacher la vérité. Il savait qu'il avait blessé Annie. Sans le vouloir. Comme il avait redouté que cela se produise depuis le début de leur histoire et bien qu'il ait cru tout faire pour l'éviter.

Elle avait fait bonne figure, se souvint-il. Elle lui avait même souri quand, pour se donner bonne conscience, il lui avait demandé si elle était troublée par les révélations de Mme Sharp. Quel goujat ! Il venait, devant elle, de reprocher à Rachel d'avoir raconté des bobards à son professeur. A Tara, il avait proclamé haut et fort qu'il n'était pas question de mariage entre eux. Et c'est à Annie, elle-même, qu'il demandait de le rassurer ! Ce que, bonne joueuse, elle avait fait !

Cependant, la tristesse de son sourire et le tremblement de sa voix avaient trahi son trouble. Il avait alors réalisé qu'il l'avait blessée.

Profondément.

A présent, il se reprochait amèrement son manque de tact. Mais, il y avait pire ! Malgré ses remords et sa gêne, il ne l'en désirait pas moins ! S'il ne s'était pas retenu, il aurait couru vers la grange, espérant la trouver dans le grenier avec la chatte et ses petits. Ou il aurait grimpé l'escalier quatre à quatre pour faire irruption dans sa chambre et se glisser auprès d'elle, dans son lit !

Il s'écarta de la fenêtre, et, se passant nerveusement la main dans les cheveux, il jura à voix basse, se traitant de tous les noms. Quel genre d'homme était-il donc ?

« Oublie cela, mon vieux », s'enjoignit-il fermement. « Plus question de dormir avec elle, de la tenir dans tes bras, nichée contre toi ! »

Fini ! C'était fini.

Car s'il se laissait aller à satisfaire ses envies, à supposer qu'elle soit partante — ce qui, maintenant, n'avait rien d'évident —, il lui ferait encore plus de mal.

Pour Annie, les jours qui suivirent la fête de l'école furent un véritable calvaire. Difficile de rester souriante devant les enfants, de faire semblant d'avoir le même entrain, le même enthousiasme alors qu'elle souffrait silencieusement mille morts. Encore plus éprouvant, le fait d'éviter David et de faire en sorte de ne pas se retrouver seule avec lui pendant la journée.

Elle en revenait toujours à ce jour maudit de la fête. Pourquoi avait-elle tant insisté pour que David y assiste ? Si c'était à recommencer, elle s'en garderait bien ! Car s'il était resté à la maison, il n'aurait jamais eu vent des rumeurs que Rachel, en toute innocence, avait propagées. Ils auraient continué d'être… heureux et, elle, de se faire des illusions !

« Inutile de prendre tes désirs pour des réalités », constata-t-elle amèrement. Quand le vin est tiré, il faut le boire, même si c'est du vinaigre, comme avait coutume de dire sa grand-mère.

Pour se changer les idées, elle sortit les photos qu'elle avait fait développer et se mit à les trier en vue d'en proposer à des revues spécialisées. Depuis son arrivée, elle avait mitraillé sans compter et disposait à présent d'un vaste éventail de clichés de toutes sortes. Des scènes ou des paysages qui avaient capté son attention au fil de ses promenades ou suivant les événements qui se passaient à la ferme. Beaucoup montraient les enfants dans leur vie de tous les jours, d'autres les animaux ou encore les plantes qu'elle avait découvertes au cours de ses randonnées.

Toutefois, parmi la quantité de photos étalées sur la table, un seul rouleau lui fit battre le cœur : celui qu'elle avait pris montrant David aux prises avec les bêtes dans le corral.

Elle en prit une et s'assit sur une chaise, incapable de rester debout tant ses genoux tremblaient. Beau ! Qu'il était beau, soupira-t-elle, les larmes aux yeux. Elle passa un doigt sur le visage viril, les traits accusés qu'elle connaissait si bien maintenant. Les pommettes hautes, les yeux de ce gris d'acier qui passaient de la tendresse à la dureté la plus inflexible, le menton volontaire…

Elle reposa la photo sur la table et en prit une autre, celle prise dans le grenier quand il l'avait trouvée en train de photographier la chatte et ses bébés. Par réflexe, elle avait tourné l'appareil vers lui et appuyé sur le déclencheur sans qu'il réagisse, visiblement hypnotisé par ce qu'il voyait. Ses yeux n'avaient pas leur éclair de dureté habituelle et ses traits adoucis révélaient un peu de ce cœur tendre qu'il s'efforçait de dissimuler aux regards des autres.

La gorge serrée, luttant contre les larmes, elle regarda par la fenêtre en direction de la grange où elle savait qu'il travaillait depuis le matin. Dieu ! Qu'elle l'aimait ! De tout son cœur, de tout son corps ! Cet aveu ne fit rien pour la soulager. Au contraire, cela ne fit qu'accentuer la blessure de son cœur déjà meurtri. Car, depuis la fête, tout était différent, ou plutôt, tout avait recommencé comme avant : leur relation à David et à elle et sa relation à lui avec ses enfants. De nouveau, il les évitait, elle et eux. Il se levait aux aurores et quittait la maison avant qu'elle ne descende. Il ne rentrait que tard le soir, parfois même, à la nuit tombée.

Qu'elle ait décidé ou non de l'éviter revenait au même, se dit-elle, désabusée. Il lui facilitait la tâche en disparaissant de la maison de l'aube au crépuscule.

Mauvais, cela. Mauvais pour les enfants qui avaient besoin de leur père. Elle n'avait pas le droit de les en priver et s'il le fallait… elle partirait.

Voilà. C'était dit !

L'idée l'avait travaillée depuis le fameux retour à la maison et la scène dans la voiture. Jusqu'alors, elle n'avait pas eu le courage de la mettre à exécution, espérant que la situation évoluerait. Maintenant, elle devait se rendre à l'évidence : sa présence à la ferme n'était plus souhaitable. Au contraire. Après son départ, David serait forcé de reprendre des relations un peu plus normales avec les enfants et de faire face à ses responsabilités.

Elle se leva, rassembla les photos et monta dans sa chambre. Soudain, elle se sentait plus proche de Penny, comprenait mieux pourquoi la sœur de David avait jugé bon de partir, de laisser son frère élever lui-même ses enfants. Il n'avait que trop tendance à se décharger sur elle de tout ce qui les concernait, comme il l'avait fait avec la nouvelle nounou, en dépit de ses réticences du début.

Elle aussi devait partir.

Pour leur bien à tous.

Ce beau raisonnement ne la consolait guère et ne l'empêcha pas d'avoir les larmes aux yeux. Et elle, dans tout cela ? Encore une expérience douloureuse. Un déchirement de tout son être. Une fois de plus, elle avait naïvement cru au bonheur possible, avait imaginé que le ciel s'entrouvrait et avait tout donné d'elle-même.

Sans retour.

Blessée au plus profond d'elle-même, elle se demanda sincèrement si elle survivrait à cette nouvelle épreuve.

Dissimulé à l'abri de la grange, David vit Annie mettre ses bagages dans sa voiture et comprit qu'elle partait. Elle quittait la ferme. Il le savait. Il avait pressenti qu'elle en viendrait là depuis la fête de l'école. Comme il aurait voulu la retenir ! La convaincre de rester avant qu'il ne soit trop tard. Mais il n'était pas prêt à user des seuls arguments qui auraient pu la faire changer d'avis.

C'est pourquoi il ne bougea pas.

C'était mieux ainsi, se persuada-t-il tout en la dévorant des yeux. Il la vit se mettre au volant et se contraignit à rester caché.

Beaucoup mieux.

Si elle restait, l'ambiguïté de la situation persisterait puisqu'il ne voulait pas, ou ne pouvait pas, y mettre fin. Ce serait trop compliqué et difficile à vivre. Pour eux tous. Pour les enfants. Pour lui. Pour Annie. Elle allait manquer aux enfants, reconnut-il. Ils s'étaient habitués à sa présence et comptaient sur ses attentions. Nul doute qu'ils allaient pousser les hauts cris et l'accuser, lui, de tous les maux. Mais, à leur âge, on oublie vite, estima-t-il et en un rien de temps, Annie ne serait plus qu'une page de leur histoire. Ils surmonteraient cette épreuve, si épreuve il y avait, comme ils en avaient surmonté d'autres, hélas.

Mais lui ? Qu'allait-il devenir ? Parviendrait-il à oublier ?

A moitié suffoqué par les larmes qu'il ne retenait pas, il suivit des yeux le nuage de poussière que soulevait la voiture qui s'éloignait rapidement dans l'allée. Il eut l'impression qu'on lui arrachait le cœur et qu'on l'accrochait au pare-choc où il traînait sur le sol, balloté, déchiqueté par les ornières. Il ne quitta pas la route des yeux tant qu'il distingua la voiture et que le nuage de poussière persista. Quand la voiture eut disparu, il se passa la main sur les yeux, en chassant les larmes et se dirigea vers la maison. Dès qu'il entra dans la cuisine, il vit la lettre qu'elle avait laissée en évidence sur la table, appuyée contre un des paniers de Pâques, rempli d'œufs peints de couleurs vives et de chocolats enrubannés. Il prit la lettre, s'assit à sa place au haut bout de la table et, dépliant la feuille, se mit à lire :

« Dave,

» J'imagine que vous savez la raison de mon départ, c'est pourquoi je ne vais pas me perdre en vaines explications ni vous présenter des excuses inutiles. Je sais que je n'agis pas très courageusement en prenant ainsi la fuite mais je ne me sens pas capable de dire froidement "au revoir" aux enfants. Je m'y suis trop attachée.

» J'ai bien réfléchi et, sachant que les vacances de printemps commencent ce soir, j'ai pensé que c'était le bon moment pour opérer cette coupure. Les jumeaux prendront Rachel en charge et vous aurez le temps de trouver quelqu'un pour me remplacer. Le congélateur est garni de plats tout préparés et vous trouverez sur la table quelques conseils pour les faire réchauffer. Je suis donc sûre que vous ne mourrez pas de faim dans l'intervalle.

» Dites aux enfants que… je les aime et qu'ils vont me manquer. S'ils demandent pourquoi je suis partie, vous pouvez leur dire qu'on me propose un poste d'enseignante, et fasse le ciel que cela se réalise. En attendant, je vais voyager et faire des photos, peut-être réaliser un reportage sur la flore sauvage, spécifique au Texas. Cela m'occupera et je ne devrais pas avoir de mal à placer mes photos auprès des agences.

» J'ai laissé les œufs de Pâques destinés à Rachel dans le grand panier. Tara et Clay se feront un plaisir de les cacher dans le jardin. Les deux autres paniers sont pour eux avec chacun leur nom à l'extérieur. Ils y trouveront leurs gourmandises préférées et des photos d'eux que j'ai prises pendant mon séjour.

» Ne croyez surtout pas que je vous rende responsable de ce qui s'est passé entre nous ni que je sois fâchée contre vous. Il n'en est rien. Je savais à quoi m'attendre et j'ai accepté les règles que vous aviez fixées. Malheureusement pour moi, j'ai découvert, trop tard, que mon cœur n'en faisait… qu'à sa tête et refusait de se plier aux règles.

» Je laisse une photo de vous prise dans le grenier, lorsque vous m'avez surprise en train de photographier la chatte et ses chatons. Vous qui tenez tellement à ce qu'on vous prenne pour un homme dur et sans cœur, examinez cette photo de près. Vous verrez que l'ours au cœur tendre transparaît dans votre regard.

» Soyez heureux, David. C'est mon vœu le plus cher. Prenez le temps de vous occuper de vos enfants. Ils vous aiment et ont besoin de vous.

» Annie. »

David laissa tomber la main qui tenait la lettre sur la table devant lui, les doigts serrés sur la feuille, la vue voilée par les larmes. Il lâcha le papier et s'empara de la photo, contemplant le cliché ainsi qu'Annie le lui avait suggéré. En fait, ce n'était pas son visage à lui qu'il voyait mais celui de la jeune fille, tel qu'il l'avait photographié en lui-même, cet après-midi-là : les yeux brillants, les joues roses, rayonnante de joie devant le spectacle touchant de la chatte et de ses chatons.

Annie n'avait pas besoin de plaisirs sophistiqués. Elle appréciait pleinement les menues satisfactions de la vie de tous les jours, toujours souriante et prête à rire, attentive au bien-être de son entourage. Elle ne mesurait ni son temps, ni sa peine, ni son énergie, ni… son amour. Disponible, généreuse, inventive dès qu'il s'agissait de faire plaisir aux enfants, sachant les câliner et les réconforter quand ils en avaient besoin mais capable, également, de les réprimander si nécessaire.

Elle allait leur manquer cruellement. Moins qu'elle ne lui manquerait à lui, s'avoua-t-il avec une grimace. Plus remué qu'il n'aurait cru possible, il enfouit la lettre dans sa poche et se leva. Il se mit à arpenter la cuisine, essayant de se convaincre qu'elle avait pris la bonne décision, que c'était mieux ainsi. Qu'il avait bien fait de ne pas intervenir. Il passa en revue toutes les bonnes raisons qu'il avait de se sentir soulagé, tentant de faire taire ses sentiments et de se justifier à ses propres yeux. Sans grande conviction. De soulagement ? Point. Au contraire !

Avec un soupir de découragement, il sortit s'atteler au travail qui l'attendait, se consolant avec un dernier argument.

Maintenant qu'elle était partie, il ne pouvait plus lui faire de mal.

8.

Comme un bolide, Rachel fit irruption dans la grange où David était penché sur son établi.

Il leva la tête puis détourna les yeux, gêné par le sourire joyeux de la petite fille.

— Où est Annie ? demanda-t-elle, sautillant sur place d'impatience. Elle m'a fait un panier de Pâques et il faut que je lui dise merci.

David se redressa, vit que les jumeaux avaient rejoint leur sœur et attendaient une réponse. A leur expression tendue, leurs visages fermés, il comprit qu'ils avaient déjà deviné qu'Annie n'était pas seulement absente mais partie définitivement.

Prenant son courage à deux mains, David ne chercha pas à biaiser.

— Elle est partie, lâcha-t-il en baissant les yeux pour ne pas affronter leurs regards.

— Partie ! s'écrièrent les trois à l'unisson.

— Oui, leur confirma leur père.

— Partie où ? demanda Tara.

A court d'idées, il choisit lâchement le prétexte qu'elle-même avait suggéré dans sa lettre et expliqua maladroitement :

— Elle a entendu parler d'un poste d'enseignante qui se libérait et elle espère qu'on retiendra sa candidature.

— Mais… c'est pas possible ! cria Rachel, consternée, les yeux pleins de larmes. Annie est à nous. Elle doit rester avec nous.

— Désolé, dit-il. Elle est partie.

Il ajouta sur un ton plus sec qu'il ne l'aurait voulu :

— C'est comme ça et il va falloir vous y faire.

Rachel éclata en sanglots déchirants et partit en courant vers la maison. Tara lança un regard meurtrier à son père et courut après sa sœur.

— C'est toi qui l'as fait partir, accusa Clay. Je t'avais bien dit que si tu lui menais la vie dure, si tu étais mauvais avec elle comme tu sais l'être, elle ne resterait pas. T'as gagné !

— Je n'ai pas été « mauvais » avec elle, se défendit David, sachant qu'il était loin de la vérité.

— Si, t'as tout fait pour la dégoûter ! s'écria Clay. Tu lui as rendu la vie impossible. Parce qu'elle se plaisait ici. Elle nous aimait bien. C'est à cause de toi qu'elle est partie.

Le garçon, hors de lui, hurlait sa colère et son chagrin.

Il lança, furieux et méprisant :

— Tu gâches toujours tout. Tout.

Tournant les talons, en larmes, il courut rejoindre ses sœurs.

David n'en était pas à sa première expérience des malheurs que la vie réservait. Plus que d'autres, il était passé par tous les stades de la douleur. Du moins le croyait-il. Pourtant, le lundi soir qui suivit le départ d'Annie le trouva, debout à la fenêtre de sa chambre, en train de broyer du noir. Il ne se souvenait pas avoir jamais été aussi déprimé, aussi anéanti. Vidé de toute énergie.

Le départ d'Annie avait laissé un tel vide en lui et dans sa maison qu'il ne parvenait pas à réagir et à prendre les choses en mains. C'était comme s'ils étaient tous aspirés par le néant, constata David. Toute la journée, les enfants désœuvrés, tristes, erraient comme des âmes en peine, affichant des figures d'enterrement. Une chape de plomb s'était abattue sur la ferme. Les rires et les cris de joie avaient fui sa demeure, se désola-t-il. Il n'était plus accueilli par des sourires lumineux et complices quand il entrait dans la cuisine. Finis les pique-niques improvisés et les massages coquins au bord de la rivière. Un lit vide et froid, c'était ce qui l'attendait tous les soirs. Adieu la douce chaleur d'un corps abandonné, blotti contre lui quand il se réveillait au milieu de la nuit ! Annie était partie et le cœur de la ferme s'était arrêté de battre.

Il savait qu'il aurait dû se rendre en ville dès son départ, mettre des annonces dans les journaux et les agences pour recruter quelqu'un. Il avait reculé devant l'effort, incapable de rédiger cette annonce, incapable de mettre ce plan à exécution, pourtant nécessaire et urgent.

Le week-end s'était écoulé sans apporter d'amélioration à la situation. Il était tout aussi perturbé qu'au moment où il avait lu la lettre qu'elle avait laissée sur la table et le lundi matin arriva sans qu'il ait pris la moindre décision quant à l'avenir. Ces deux jours de réflexion ne lui avaient apporté qu'une seule certitude : personne ne pouvait remplacer Annie.

Ni dans sa maison. Ni dans son cœur.

Il se laissa tomber sur son lit, résigné à affronter une nuit sans sommeil. Il avait besoin de dormir pour accomplir les tâches qui l'attendaient. Le ranch, la maison, les enfants. Ce n'était pas le moment de flancher quand tout reposait sur lui.

Il venait de poser la tête sur l'oreiller et de s'étendre quand la porte s'ouvrit brusquement. Clay se rua vers son père, haletant, les yeux fous. David était déjà assis quand Clay cria :

— Vite, vite ! C'est Tara.

En une seconde, David fut debout et enfilait son jean.

— Quoi, Tara ? Qu'est-ce qu'elle a ?

Mais Clay avait déjà disparu dans le couloir.

David se lança derrière lui, montant l'escalier quatre à quatre. Il le trouva à la porte de la salle de bains, les yeux rivés sur le sol où gisait Tara, inanimée. Tournant vers son père un visage hagard, il dit avec un sanglot dans la voix :

— Je crois qu'elle est morte.

David faisait les cent pas dans le couloir de l'hôpital. Rachel accrochée à son cou, pleurait à fendre l'âme. Il tenta de la consoler en disant :

— Ne t'inquiète pas, choupette. Tara va s'en sortir.

Il se le répétait à lui-même, comme une litanie, priant le ciel que ce soit vrai. Il jeta un œil en direction des box au-delà de la salle des urgences, derrière les portes de verre. C'est là qu'on s'efforçait de ramener Tara à la vie. Il ferma les yeux, pris de panique. Il revoyait le visage gris de sa fille, son corps inerte étendu à même le carrelage. Il revivait le moment terrible de l'arrivée à l'hôpital quand les ambulanciers l'avaient emportée sur son brancard vers un de ces box, sans qu'il lui soit permis de l'accompagner, d'être auprès d'elle.

« S'il te plaît, pria-t-il silencieusement. Ne meurs pas. Dieu, ne permettez pas qu'elle meure. »

— Papa, dit une voix.

Il ouvrit les yeux et vit Clay devant lui, avec, inscrite sur son visage et dans le regard éperdu, la même peur qui lui fouaillait les tripes.

— Elle va s'en sortir, dis ?

Il eut une espèce de hoquet et dit encore :

— Tara ne va pas mourir, dis, papa ?

Instinctivement, David leva son bras libre et Clay vint s'y blottir, enfonçant son visage dans l'épaule de son père. Avec Rachel sur un bras et Clay sous l'autre, David resserra son étreinte autour de ses enfants, leur offrant le seul réconfort dont il était capable, celui de sa présence rassurante et de sa chaleur, le réconfort dont ils avaient le plus besoin. Lui aussi s'en trouva mieux, y puisant la force de croire que Tara allait bientôt les rejoindre.

— Ça va aller, affirma-t-il d'une voix plus assurée. Tara va s'en sortir.

— Monsieur Rawley ?

David leva brusquement la tête et une angoisse mortelle l'étreignit quand il vit l'infirmière qui ouvrait la porte de verre.

— Oui, réussit-il à dire.

— Vous pouvez venir voir votre fille.

David s'avança vivement, toujours encombré de ses précieux fardeaux. Mais l'infirmière l'arrêta d'un geste de la main.

— Vous seul, dit-elle. Les enfants attendront ici.

Aussitôt, Clay se dégagea et tendit les bras pour prendre Rachel, disant :

— Va, papa. Je m'occupe d'elle.

A ces paroles, le cœur de David se remplit de fierté. Il regarda son fils et s'étonna de le voir si grand, si responsable. Il lui parut s'être transformé sans que lui, son père, s'en soit rendu compte.

Il lui confia Rachel et le remercia. D'une pression de la main sur son épaule, il lui fit comprendre qu'il appréciait son attitude. Puis, avec un clin d'œil complice, il ajouta :

— Je vais demander qu'on vous autorise à venir l'embrasser.

Avec un sourire destiné à les rassurer, il suivit l'infirmière dans l'enceinte réservée aux malades. Elle repoussa le rideau qui fermait le box et David se prépara au pire. Tara reposait sur le brancard, les yeux fermés, le visage aussi blanc que l'oreiller qui soutenait sa tête. Une perfusion était branchée sur son poignet et des tubes lui sortaient du nez. Quelque part dans la pièce, on entendait le bip régulier d'un moniteur cardiaque.

David surmonta la peur qui le tenait au ventre pour lever un regard interrogateur vers le médecin, debout à côté du lit.

— Est-elle... ?

Il ne put continuer et ce fut le médecin qui répondit à la question qu'il n'avait pas osé poser.

— Elle nous a fait très peur, dit-il, mais elle est tirée d'affaire.

David recommença à respirer bien qu'il sentît ses jambes se dérober sous lui.

— Nous lui avons fait un lavage d'estomac, enchaîna le médecin, pour le vider de tout ce qu'elle avait pu ingurgiter. Nous lui administrons des antibiotiques par précaution, pour neutraliser les toxines qui se seraient propagées dans le sang. Il va falloir la surveiller de près pendant quelques jours, mais je crois qu'elle est en bonne voie.

— Merci, murmura David.

C'est à peine s'il vit le médecin lui faire un petit signe de tête et quitter le box. Les yeux sur Tara, il s'approcha d'elle, les jambes encore tremblantes et lui prit la main entre les siennes.

— Tara, mon bébé, dit-il, très secoué. C'est papa. Tout va bien. Tu vas vite te remettre.

A travers les larmes qui lui brouillaient la vue et la gorge serrée par le spectacle des narines pincées, des cernes bleus, des pommettes creuses, il vit Tara ouvrir lentement les yeux et essayer de concentrer son regard sur lui.

— Papa ?

Ce ne fut qu'un murmure rauque mais David n'avait jamais rien entendu de plus beau.

— Oui, mon bébé. Papa est là, murmura-t-il, lui pressant la main. Tu nous as fait très peur mais le médecin dit que, d'ici quelques jours, tu seras remise. Qu'il n'y paraîtra plus.

Les yeux de Tara se remplirent de larmes et, quand elle voulut parler, son menton et ses lèvres se mirent à trembler. Elle balbutia :

— Désolée. Je ne voulais pas vous faire peur.

Le cœur sur les lèvres, David s'agenouilla près d'elle et lui caressa les cheveux.

— Je sais, chérie, dit-il.

— Annie me manque tellement, dit Tara d'une toute petite voix.

— Elle nous manque à tous, admit-il à voix basse.

— J'ai pensé que… si j'étais malade, tu… la ferais revenir pour qu'elle s'occupe de moi.

— Oh, ma chérie ! dit-il, la serrant contre lui et posant son front contre le sien.

Il sentit une main frêle et tremblante lui entourer le cou et ferma les yeux pour maîtriser l'émotion qui s'emparait de lui.

— Je t'aime, Tara, murmura-t-il.

Il s'écarta légèrement pour la regarder dans les yeux et reprit :

— Je t'aime, mon bébé.

158

Il la vit écarquiller les yeux de surprise et ce fut comme si on lui avait enlevé un grand poids de la poitrine. Il répéta avec un sourire incertain :

— Je t'aime, ma chérie.

Malgré la perfusion, elle lui passa les deux bras autour du cou et chuchota à son oreille :

— Je t'aime aussi, papa.

David et Clay chargeaient des bottes de paille sur le camion. David, campé solidement sur ses jambes dans l'ouverture du grenier, en piquait une avec sa fourche, la soulevait pour s'assurer qu'elle était détachée du reste et la laissait tomber sur le plateau. Clay la rangeait rapidement à sa place avant l'arrivée de la prochaine.

— Papa ?

David laissa tomber la balle avant de répondre.

— Oui, fiston ?

— Annie ne te manque pas ?

Surpris de la question inattendue, David hésita un instant, peu habitué à faire état de ses sentiments. Mais il réalisa qu'il était temps de s'y mettre et, serrant les dents, admit :

— Si, fiston. Elle me manque.

— A moi aussi, avoua Clay avec un air malheureux, au bord des larmes. A Rachel et à Tara, aussi, peut-être encore plus.

— Je sais, marmonna David.

— Est-ce que tu crois qu'elle reviendrait si on le lui demandait ? dit Clay. Tu pourrais lui offrir une augmentation ou… autre chose. Je ne sais pas, moi.

David laissa échapper un rire sceptique et souleva une balle de paille, disant :

— A mon avis, ce n'est pas l'argent qui la fera revenir.

— Papa ? dit encore Clay, un peu timidement. Est-ce que maman te manque ?

Son père se figea sur place, et, de sa position en hauteur, regarda son fils.

— Oui. Pourquoi ?

Clay haussa les épaules et dit :

— Je ne sais pas. Je voulais savoir. Elle me manque aussi mais, tu sais… parfois, je me dis que je ne pense plus à elle autant qu'avant. Je me sens… mal à l'aise… coupable. Tu vois ce que je veux dire ?

David envoya la balle sur le plateau, posa sa fourche et sauta dans le camion. Là, il s'assit sur une botte de paille, enleva ses gants de travail et fit signe à Clay de venir s'asseoir à côté de lui.

— Je sais ce que tu veux dire, fils. Tu ne dois pas te faire de souci. Sois certain que ta maman comprend. Elle est avec nous. Elle fait partie de nous. A jamais. Mais elle n'est plus là et ne s'attend pas à ce que nous passions le reste de notre vie à penser à elle jour et nuit, à la pleurer et à nous morfondre. Vu ?

— Oui, dit Clay, pensif. Je pense que tu as raison. Je n'aimerais pas que vous passiez votre temps à pleurer et à vous lamenter si c'était moi qui étais mort.

A l'évocation de la possibilité de perdre son fils, David eut un frisson d'angoisse. Il le prit par les épaules et le serra contre lui.

— Tu me manquerais, fiston…, dit-il.

Puis, pour alléger l'atmosphère et distraire Clay de ses idées noires, il ajouta :

— Au moins pendant une bonne minute !

Le visage de Clay s'éclaira et il rit, envoyant son coude dans les côtes de son père.

— Tu ferais bien, dit-il. Autrement, je serais capable de revenir te hanter pour le restant de tes jours !

Le rire de David se joignit à celui de son fils. Pendant quelques minutes, il le bourra de coups de poing inoffensifs que Clay ne cherchait pas à éviter. Finalement, il s'arrêta et demanda :

— Qu'est-ce qui te fait ruminer toutes ces idées ?

Clay parut hésiter.

— Je ne sais pas. C'est à cause d'Annie, je pense.

Il lança un coup d'œil à son père avant de continuer :

— Je crois qu'elle était amoureuse de toi.

David eut l'impression de faire un formidable plongeon car son cœur, battant la chamade, se retrouvait dans ses... bottes puis rebondissait dans sa poitrine.

— Peut-être, dit-il lentement. Qu'est-ce qui te fait dire cela ?

— Peut-être ? s'indigna Clay. J'en suis sûr. Cela se voyait dans ses yeux quand elle te regardait. Elle était... radieuse, risqua-t-il, employant un mot qui lui parut très sophistiqué.

— Tu ne crois pas que tu te fais des idées ? demanda David.

— Non, se défendit Clay. Je ne suis pas le seul à l'avoir remarqué. Tara aussi s'en est rendu compte. Elle croyait même que tu étais amoureux d'Annie.

— C'est vrai que je l'aimais bien, dit David sobrement, encore peu enclin à dévoiler ses plus intimes secrets.

— Alors, pourquoi l'as-tu fait partir, s'écria Clay ?

David se leva et se mit à marcher sur le plateau du camion, faisant claquer ses gants sur ses cuisses.

— Je ne l'ai pas *fait* partir, rectifia-t-il. C'est elle qui a pris la décision. Je n'ai fait que la *laisser* partir.

— C'est parce qu'elle croyait que tu ne l'aimais pas, que tu ne voulais pas qu'elle reste, protesta Clay. Si tu lui avais dit tes vrais sentiments, elle ne serait jamais partie. Je suis sûr qu'elle reviendrait si tu lui disais que tu l'aimes.

David s'arrêta net, frappé par l'idée de son fils. Il ne corrigea pas le terme employé. Ce « tu l'aimes » qui le forçait, lui, à franchir le pas, en toute simplicité. En fait, il se sentit soulagé, comme si cet aveu, fait par personne interposée, était un cadeau du ciel.

— Maintenant ? demanda-t-il, perplexe.

— Oui, dit Clay, s'exaltant déjà à l'idée de revoir Annie. Tu n'as qu'à l'appeler. Ou encore mieux, tu vas la trouver pour lui parler. Elle t'a bien dit où elle allait ? Non ?

— Pas vraiment, avoua David. Elle m'a seulement dit qu'elle allait voyager et prendre des photos de fleurs sauvages.

— On peut la retrouver facilement, dit Clay avec une belle assurance. Le meilleur endroit pour les fleurs sauvages, c'est le district des collines.

— Oui, évidemment, dit David quelque peu circonspect.

Il imaginait déjà les kilomètres de petites routes de campagne tortueuses qu'une telle recherche, à l'aveuglette, impliquerait.

— Alors, allons-y, jubila Clay, donnant une grande tape dans le dos de son père. Qu'est-ce qu'on attend ? On a encore une petite semaine avant la rentrée. Ce sera comme si on prenait des vacances tous ensemble, en famille. On ne l'a jamais fait, pour autant que je m'en souvienne.

— Tu as raison, dit David, sa décision prise. Jamais. Il est grand temps de commencer.

Il passa un bras autour des épaules de son fils et tous deux sautèrent ensemble du camion. Du même pas allongé, ils se dirigèrent vers la maison.

— On en a encore pour longtemps ? demanda Rachel d'un ton plaintif.

Dans le rétroviseur, David jeta un œil sur sa petite dernière et dit :

— Je ne sais pas, choupette.

— J'en ai assez d'être en voiture, geignit-elle.

David la comprenait. Cela faisait deux jours qu'ils parcouraient les routes sinueuses des collines, ne s'arrêtant dans un motel pour y dormir qu'à la nuit tombée. Lui aussi en avait assez. D'autant plus qu'ils n'avaient aucune idée de la façon d'orienter leurs recherches. L'entreprise était vouée à l'échec et, lui, était prêt à renoncer.

Comme si elle avait senti son découragement, Tara prit un livre dans le sac à dos et proposa à sa sœur :

— Viens sur mes genoux. Je vais te lire une histoire.

— Tu feras tous les bruits, comme Annie ? interrogea Rachel, méfiante. Et tu changeras de voix pour que je reconnaisse les personnages ?

— Oui, promit Tara. Je vais essayer.

Elle défit la ceinture de sa sœur et la sienne, prit la petite fille sur ses genoux et remit sa ceinture en place pour elles deux.

Elle commença :

— Il était une fois une belle princesse qui vivait dans un château perdu dans la forêt…

— C'est pas comme ça qu'Annie lisait, pleurnicha Rachel.

Avec un soupir, Tara reprit sa lecture, déformant sa voix pour imiter celle d'une vieille femme.

David refréna un sourire et se concentra sur la route, plissant les yeux pour ne pas être aveuglé par la lumière du soleil. Il avait de la chance, reconnut-il. Ses enfants étaient merveilleux. Tous les trois.

Annie déposa son équipement de photographe dans le coffre de sa voiture et le referma. Elle se redressa et, levant les bras au-dessus de sa tête, elle s'étira et fit quelques mouvements d'assouplissement à droite et à gauche pour détendre ses muscles.

Elle avait déjà pris plusieurs pellicules de photos au cours de ces derniers jours et parcouru des centaines de kilomètres en voiture sur les petites routes, cherchant les coins les plus reculés. Cela, sans compter les randonnées pédestres à travers les pâturages et les bosquets où elle avait déniché toutes sortes de fleurs, de la primevère rouge au bleuet… violet, en passant par des tapis entiers de fleurs de lin ou de luzerne blanche. La flore du Texas se révélait beaucoup plus riche et variée qu'elle ne l'aurait cru : chaque coin d'ombre, chaque endroit abrité du soleil recélait des trésors de botanique et recouvrait le sol d'une toile bariolée de toute beauté. Ces endroits préservés devaient beaucoup à l'action de lady Bird Johnson qui avait attiré l'attention des Texans sur la nécessité de protéger cette richesse végétale.

Annie s'en était remplie les yeux et s'était réjouie de toute cette beauté de la nature. Ce périple aurait été un pur plaisir si elle avait réussi à effacer de sa mémoire le souvenir des Rawley. Mais, même quand elle s'absorbait dans la contemplation des fleurs, quand elle réglait son appareil pour la meilleure prise de vue, elle ne parvenait pas à oublier le déchirement qu'elle avait ressenti lors de son départ de la ferme.

D'un mouvement énergique de la tête, elle repoussa les larmes qui lui montaient aux yeux. Assez pleuré, se sermonna-t-elle. Elle avait versé de tels flots de larmes que tous les bateaux du monde auraient pu y sombrer ! Trop, c'est trop.

Toutefois, quand elle se remit au volant, sa vision n'était toujours pas très nette. Elle chassa une dernière larme et décida d'aller aussi loin que possible, de ne s'arrêter que contrainte et forcée par la fatigue et la nuit. Elle mit la radio, chercha de la musique rock, monta le volume dans l'espoir que le bruit lui ferait oublier David et ses enfants.

Epuisé mais incapable de trouver le sommeil, David était debout à la fenêtre du motel où ils avaient atterri pour la nuit. Il regardait le parking et la route où passait de temps à autre une voiture. Il la suivait alors des yeux jusqu'à ce qu'il soit certain que ce n'était pas la voiture d'Annie.

Avec un soupir, il porta son regard sur l'entrée de l'hôtel où l'enseigne au néon clignotait dans la nuit, indiquant au voyageur en quête d'une chambre qu'il pouvait s'arrêter. Il se demanda que faire. Fallait-il continuer cette vaine recherche ? Combien de temps encore les enfants allaient-ils supporter d'être enfermés en voiture avant de céder au découragement ? Pour le moment, ils dormaient : Rachel et Tara ensemble dans le même lit et Clay, heureux d'occuper un grand lit double à lui tout seul. Après deux jours d'une proximité de tous les instants, ils en avaient plus qu'assez et n'aspiraient qu'à reprendre le cours d'une vie normale.

Le regard toujours fixé sur l'enseigne et sa lumière intermittente, David vit une voiture tourner dans le chemin qui menait à l'entrée du motel et s'arrêter sous l'enseigne. Il cligna des yeux, interdit. Il se redressa, regarda intensément la petite berline, certain de reconnaître cette voiture.

Impossible, se dit-il, tous ses nerfs tendus. Toutefois, il attendit avec impatience que le seul occupant du véhicule en sorte. Quand la portière s'ouvrit enfin, il s'avéra que le conducteur était une femme. Elle venait de mettre pied à terre et David eut l'impression qu'on lui comprimait la poitrine sous un cercle d'acier et son cœur s'arrêta de battre.

Annie !

Annie, car c'était bien elle, disparut dans l'hôtel. Il cligna des yeux de nouveau pour s'éclaircir la vue, n'osant pas faire un geste de peur de manquer son retour, de peur que l'illusion se dissipe.

Mais quand elle revint à sa voiture, une carte de plastique à la main, il n'eut plus aucun doute : c'était bien elle. A pas de loup, il alla vers la porte mais la voix de Clay le fit s'arrêter net :

— Papa ? Où vas-tu ?

David se tourna vers le lit de son fils qu'il distinguait dans l'ombre et, chuchota :

— Je n'arrive pas à dormir. Je vais faire un tour dehors. Je te laisse avec tes sœurs. D'accord ?

Il espéra que rien dans sa voix ne laissait transparaître de son agitation. Il ne voulait pas lui dire qu'Annie était là, dans le cas où elle le renverrait dans ses foyers sans vouloir rien entendre.

— D'accord, dit Clay, se retournant dans son lit et se cachant la tête sous le drap.

David ouvrit la porte et descendit vivement l'escalier. Une fois dehors, il repéra la voiture d'Annie dans le parking. Les mains moites, la respiration courte, il resta dans l'ombre, la regarda prendre un sac fourre-tout sur le siège arrière et se diriger vers un des bungalows.

Il s'avança et, au moment où elle insérait la carte de plastique dans la fente, appela doucement :

— Annie !

Elle sursauta violemment, pivota sur elle-même, terrorisée, prête à s'enfuir.

— David ? dit-elle, incrédule.

Elle parut se recroqueviller sur elle-même, à la fois apeurée et soulagée de le reconnaître.

166

— Qu'est-ce que vous faites là ?

Il se rapprocha et dit :

— On vous cherche.

Le sac qu'elle avait gardé à la main lui échappa avec un bruit mat sur le ciment. Elle ouvrit grand les yeux et s'étonna :

— Vous me cherchez ? Moi ? Qu'avez-vous fait des enfants ?

D'un mouvement de la tête, il indiqua le bâtiment principal du motel et dit :

— Ils sont là, à l'étage. Ils dorment.

Elle le regarda, stupéfaite, réalisant soudain qu'il ne pouvait pas savoir où elle était puisqu'elle ne lui avait rien dit de précis et qu'elle s'était déplacée au gré de son inspiration.

— Mais… comment avez-vous su où j'étais ?

Il mit les mains dans ses poches et haussa les épaules.

— On ne savait pas, dit-il. On a pris le risque. Depuis deux jours, on fait toutes les routes des environs dans l'espoir de vous trouver.

— Mais… pourquoi ? interrogea-t-elle. Il se passe quelque chose ? Les enfants vont bien ? Tara…

— Va bien. Enfin… elle est sortie d'affaire.

Il la vit pâlir. Ses yeux exprimaient à présent une intense frayeur et il s'en voulut de l'avoir inquiétée sans raison.

Il lui prit la carte-clé des mains et proposa :

— Si on entrait ? On y serait mieux pour s'expliquer.

Il ouvrit grand la porte, prit le sac et s'écarta pour la laisser passer.

Sans le lâcher du regard, elle passa devant lui mais s'arrêta aussitôt entrée, disant :

—Vous m'affolez. Que s'est-il passé ?

Il alluma une lampe, posa le sac et referma la porte derrière eux.

— Elle nous a fait une belle frayeur, il y a quelques jours. Mais, maintenant, tout s'est arrangé et elle va bien.

Sa voix se voulait rassurante. Cependant, c'est en tremblant qu'Annie demanda :

— Tara ? Que s'est-il passé ?

Il enfonça de nouveau les mains dans ses poches et prit une longue respiration. Le souvenir de cette nuit lui était pénible. Un frisson d'angoisse le parcourut quand il revit sa fille inanimée sur le sol de la salle de bains, blême, la respiration à peine audible, les lèvres décolorées. Il revécut l'angoisse du transport en ambulance et de l'arrivée à l'hôpital.

Il prit sur lui pour répondre à l'inquiétude d'Annie et dit :

— Oui. Tara. Elle a avalé toute une boîte de tranquillisants.

Annie se cacha le visage dans ses mains en poussant un « Oh, non ! » désespéré.

Relevant la tête, elle s'accusa :

— C'est ma faute.

Il s'approcha d'elle et lui mit les mains sur les épaules pour la réconforter.

— Non, affirma-t-il. Si c'est la faute de quelqu'un, c'est la mienne.

— Non, protesta-t-elle en larmes. Je n'aurais jamais dû partir. Je savais qu'elle était fragile, sujette à des crises d'angoisse. Je savais qu'elle ne supporterait pas de perdre de nouveau quelqu'un en qui elle avait placé sa confiance. Je l'ai trahie. J'aurais dû rester.

— Oui, dit-il. Vous auriez dû rester. Mais pas pour les raisons que vous imaginez.

Frappée par le ton ferme qu'il employait, Annie sécha ses larmes et le dévisagea. Elle recula, se libérant de ses mains et croisa les bras sous sa poitrine. Reprenant le contrôle d'elle-même, elle dit d'une voix déterminée :

— J'ai fait ce que je croyais souhaitable, étant donné les circonstances. Ce que je pensais être... préférable pour tout le monde.

— Ce n'est pas l'avis des enfants, rétorqua David. Ils étaient fous de chagrin quand j'ai dû leur apprendre votre départ. Furieux et désespérés que vous soyez partie sans leur dire au revoir.

Elle recommença à pleurer et, baissant la tête, admit :

— J'ai fui mes responsabilités parce que je n'aurais jamais eu le courage de leur faire mes adieux.

— Et vous avez trouvé que c'était plus facile de cette manière ?

— Non, murmura-t-elle, les larmes coulant sur ses joues et sur son menton. Ils me manquent affreusement.

— Vous leur manquez aussi, dit-il. Ils vous attendent.

Elle releva la tête mais se couvrit les yeux de ses mains, priant :

— David, arrêtez. Ne faites pas cela !

— Quoi ? demanda David, troublé.

Elle découvrit son visage et cria :

— Je ne peux pas revenir. Je ne le peux pas et je ne le veux pas.

— Annie..., dit-il en tendant les mains vers elle.

— Non, cria-t-elle de nouveau, s'éloignant délibérément hors de sa portée.

Une main en avant pour lui interdire d'approcher, elle redit :

— Non, David. Je vous en prie. Laissez-moi. Partez.

Elle sanglotait et il aurait voulu la consoler, la prendre dans ses bras et lui dire... ce qu'il avait à lui dire mais, de toute évidence, elle n'était pas en état de l'écouter. Dommage, car il aurait voulu lui dire qu'il l'aimait, que, comme les enfants, il ne pouvait plus vivre sans elle, que c'était le seul et, l'espérait-il, le meilleur argument pour qu'elle revienne illuminer la maison de sa précieuse présence.

Mais il resta muet, paralysé par le chagrin qu'elle manifestait et dont il était la cause. Emu aussi par les cernes sous les yeux qui lui firent comprendre qu'elle avait, elle aussi, passé des nuits sans sommeil depuis son départ. Il se rappela sa conversation avec Clay et réalisa tout le mal qu'il lui avait fait. Comment pouvait-il, dans ces conditions, lui parler d'amour ?

Elle était trop perturbée pour lui prêter la moindre attention et encore moins, pour croire en ses aveux. Nul doute qu'elle refuserait de lui accorder la moindre chance de s'exprimer. Elle le congédierait sur-le-champ. La mort dans l'âme, il se rendit à l'évidence et renonça à lui parler.

— Très bien, dit-il à contrecoeur, s'efforçant de prendre une attitude désinvolte. Je vous laisse. Nous rentrons demain à la maison ; si vous voulez vous joindre à nous, vous êtes la bienvenue.

Il ouvrit la porte et avant de s'éloigner, il ajouta :

— Nous sommes au 216, au premier étage, la chambre juste en face de l'escalier. Si vous avez besoin de quoi que ce soit ou si vous avez quelque chose à me dire, vous savez où me trouver.

9.

Après le départ de David, le premier réflexe d'Annie fut de reprendre immédiatement la route et de fuir aussi loin que possible. Bouleversée par ce qu'elle venait d'apprendre, elle redoutait, si elle restait, de rencontrer accidentellement les enfants le lendemain matin. Les enfants ! Rien que d'y penser, elle eut la tentation de ravaler son orgueil, de faire taire ses sentiments pour David et de se rendre au 216. Là, abdiquant toute fierté, elle aurait consenti à reprendre sa place auprès d'eux.

Mais la fatigue, d'une part, la peur d'être mal accueillie, d'autre part, la convainquirent de renoncer. Et, après des heures passées à ressasser les différents aspects de la situation, tous plus douloureux les uns que les autres, elle finit par s'endormir d'un sommeil agité.

Elle en était plus ou moins arrivée à la conclusion qu'elle avait bien fait de quitter la ferme, qu'elle avait agi pour le mieux. L'idée de retourner chez David, de le côtoyer jour après jour sans espoir d'établir une autre relation que celle d'employeur à employée lui était insupportable.

Malheureusement, il y avait les enfants.

Cela n'avait déjà pas été facile de les quitter, même en sachant que c'était pour leur bien, pour que leur père prenne enfin conscience qu'il leur était indispensable. Qu'il s'occupe d'eux et cesse de déléguer ses responsabilités à quelqu'un d'autre.

Mais maintenant qu'ils l'avaient retrouvée, que David lui avait proposé de reprendre sa place au ranch, elle avait l'impression de revenir à la case départ et de les abandonner une seconde fois.

La proposition de David avait de quoi la tenter, s'avoua-t-elle. Facile de céder à la tentation. Beaucoup trop facile. Et trop douloureux. S'il avait laissé entendre qu'il souhaitait, lui, qu'elle revienne, qu'il était… attaché à elle ; s'il n'avait pas mis en avant le désir des enfants, sans rien ajouter de personnel, elle se serait peut-être laissé convaincre.

Mais pas une seule fois au cours de leur conversation, il n'avait parlé de lui, de ses sentiments à son égard. Uniquement de ses enfants et du besoin qu'ils avaient d'elle. Ce qui voulait dire que rien n'avait changé, que David Rawley restait… David Rawley. Si elle était assez naïve pour reprendre sa place au ranch, ce serait la même histoire, estima-t-elle. David reprendrait ses mêmes vieilles habitudes, continuerait de se tuer au travail et de lui laisser l'entière responsabilité de ses enfants. Sans se rendre compte que jamais une nounou ne pourrait le remplacer, que c'était de l'attention et de la tendresse de leur père dont ils avaient besoin.

Grands dieux, se désespéra-t-elle, comme elle les aimait ! Tous les trois. Tara, l'adolescente fragile. Clay, le garçon taquin et raisonnable. Et la petite Rachel. Elle s'était vraiment prise d'amour pour eux.

Et pour David.

Tara attendit que les pas de son père résonnent dans la cour pour se précipiter à la fenêtre et entrouvrir les rideaux. Elle tendit le cou et le vit monter en voiture.

172

— Papa a l'air bizarre, dit-elle, se mordillant un ongle.

Clay croisa les mains sous sa tête et s'étira de tout son long dans le grand lit.

— Ce n'est pas nouveau, dit-il avec philosophie.

Tara haussa les épaules et regarda de nouveau entre les rideaux.

— Je trouve qu'il n'est pas comme d'habitude, dit-elle, réprimant un frisson d'appréhension. Il se conduit vraiment bizarrement. Hier, il était en forme et de bonne humeur. Ce matin, il a l'air triste et déprimé et affiche une mine de déterré. Ce ne serait pas pire s'il avait appris la mort de quelqu'un.

— Je peux regarder Scooby Doo ? réclama Rachel.

Clay soupira mais appuya sur la télécommande et mit le programme demandé.

— C'est parce qu'il est fatigué, dit-il, en réponse à la remarque de sa soeur. Il n'a pas beaucoup dormi cette nuit.

Tara tourna vivement la tête vers son jumeau et, intriguée, demanda :

— Comment le sais-tu ?

Il hocha la tête, résigné à subir les dessins animés qui plaisaient à Rachel et, bougon, répondit à Tara.

— Tard, hier soir, je l'ai entendu ouvrir la porte et je lui ai demandé où il allait. Il m'a dit qu'il ne pouvait pas dormir et qu'il allait faire un tour.

— Où est-il allé ?

— Je n'en sais rien. Juste prendre l'air.

— En pleine nuit ?

— Oui.

— Bizarre, redit Tara, se retournant vers la fenêtre.

Elle regarda son père sortir la voiture du parking et prendre la route. Elle allait laisser retomber le rideau quand quelque chose attira son attention.

— Clay, s'écria-t-elle, repoussant en grand la tenture.

— Tu ne pourrais pas la fermer ? dit son frère. Rachel et moi, on regarde un dessin animé.

— Clay, viens, viens vite, supplia Tara.

Marmonnant des gentillesses à l'égard des filles en général et de sa jumelle en particulier, il sortit du lit et s'approcha de la fenêtre.

— Quoi ? maugréa-t-il. Qu'est-ce qu'il y a encore ?

— Regarde, dit Tara tout excitée. Est-ce que ce ne serait pas la voiture d'Annie ?

Clay se rapprocha de la fenêtre, fronça les sourcils et écarquilla les yeux quand il reconnut :

— Mais si : c'est sa voiture !

Les jumeaux se regardèrent et avec un bel ensemble, commencèrent :

— Tu crois que...

Ils se heurtèrent l'un à l'autre dans leur précipitation à foncer vers la porte.

— Rachel, cria Tara, viens.

— Je veux pas partir, geignit Rachel, heureuse de regarder son programme préféré. Je veux...

— Annie est là ! hurlèrent ensemble les jumeaux, trépignant d'impatience.

— Annie ? Où ? cria Rachel, sautant du lit.

— Là, en bas. Dépêche-toi !

Annie finit de rassembler ses affaires, entassa le tout dans son sac et le referma. Elle jeta un coup d'œil circulaire à la pièce, s'assurant qu'elle n'avait rien oublié. Elle prit son sac et le passa à son épaule. Elle allait sortir quand elle entendit frapper discrètement à la porte.

A tous les coups, c'était David qui venait la relancer, s'inquiéta la jeune fille. Une fervente prière lui monta aux lèvres. « Mon Dieu, faites que cela ne soit pas trop difficile ! »

Prenant son courage à deux mains, elle se prépara à lui tenir tête. Elle alla à la porte, la déverrouilla et l'ouvrit en grand. Quelle ne fut pas sa surprise de voir Rachel, Tara et Clay devant sa porte ! Elle recula, trébucha et faillit tomber. Elle regarda derrière eux, mais non, ils étaient seuls.

Revenant aux trois enfants, elle demanda :

— Qu'est-ce que vous faites là ? Où est votre père ?

— Il est parti chercher le petit déjeuner au MacDo, dit Rachel avec un énorme sourire. Bonjour, Annie.

Annie porta la main à son visage, la passa sur ses yeux, se demandant si elle rêvait. Elle finit par mettre un genou tremblant à terre et ouvrit les bras. Rachel s'y précipita aussitôt, menaçant de la renverser dans son élan et lui serrant le cou à l'étrangler. Annie souleva la petite fille et saisit la main de Tara qui ne se fit pas prier pour venir se blottir contre son épaule.

— Que c'est bon de vous voir, dit la jeune fille, les larmes aux yeux.

Non sans effort, elle réussit à détacher Rachel de son cou et la déposa sur le sol. Se tournant vers Clay, elle demanda :

— Est-ce que je n'ai pas droit à un baiser de mon grand garçon ?

Rouge de confusion, Clay s'avança et déposa un rapide baiser sur la joue d'Annie. Très vite, il s'écarta, les yeux baissés avec un sourire heureux.

Annie porta la main à sa poitrine comme pour calmer les battements de son cœur et s'écria :

— Je n'arrive pas à le croire !

Elle rit et s'enquit :

— Est-ce que votre père sait que vous êtes là ?

— Non, répondit Tara. Et je suis sûre qu'il ne va pas nous croire quand on va lui dire qu'on vous a trouvée. Cela fait des jours qu'on vous cherche.

— Très longtemps, renchérit Rachel, roulant des yeux.

Elle prit la main d'Annie et la posant sur sa joue, dit :

— Maintenant qu'on t'a trouvée, tu vas revenir à la maison vivre avec nous comme avant, dis ?

Annie se mit à genoux devant la petite fille et dit très doucement :

— Non, Rachel. Je ne peux pas.

Les yeux de l'enfant s'embuèrent de larmes et elle protesta :

— Mais, papa a dit…

Elle s'arrêta et regarda sa sœur qui haussa les épaules en un geste désabusé.

— C'est vrai que papa a dit qu'on partait à votre recherche pour vous ramener à la maison avec nous.

Elle leva les yeux vers son frère, lui demandant implicitement de confirmer ce qu'elle venait de dire. Il opina de la tête et Annie, atterrée, se récria :

— Mais c'est impossible !

— Pourquoi ? demanda alors Clay.

— Les enfants ! Qu'est-ce que vous faites là ? Vous deviez m'attendre dans la chambre.

Au son de la voix de David, les quatre têtes se tournèrent vers la porte. Rachel fut la première à réagir. Elle courut vers son père et lui prit la main, proclamant :

— Papa, on a trouvé Annie. Regarde ! Elle est là.

Annie se releva lentement, s'essuyant nerveusement les mains à son jean.

— Bonjour, David, dit-elle aussi naturellement que possible.

Il lui lança un bref coup d'œil puis son regard se fixa sur le mur derrière elle.

— Bonjour dit-il. Désolé que les enfants soient venus vous ennuyer.

Il mit la main sur l'épaule de Rachel et assura :

— Je vous en débarrasse.

— Papa ! Non !

C'était Clay qui protestait et qui eut droit à un regard sévère de la part de son père.

— Tu ne vois pas qu'Annie est pressée de partir ? dit-il.

— On ne peut pas partir sans elle, s'entêta Clay. On veut qu'elle vienne avec nous.

David prit son air le plus sévère et répliqua :

— Je lui ai posé la question et c'est « non ».

— Mais, lui as-tu dit…

— Clay ! interrompit son père. Ça suffit.

Tara se laissa tomber sur le lit, croisa les bras et prit, elle aussi, son air de mule que rien ne fera changer d'avis.

— Je ne bouge pas d'ici, dit-elle. Je reste avec Annie.

David respira à fond, s'efforçant de rester calme.

— Tara Michelle Rawley…, commença-t-il, menaçant.

Elle leva vers lui un menton provocateur et assura :

— Je ne m'en irai pas et tu ne peux pas me forcer à te suivre. Alors, inutile d'essayer de m'impressionner.

Rachel pinça les lèvres et, les poings sur les hanches, annonça à son tour :

— Je pars pas si Tara reste.

— Papa, plaida Clay, si tu disais à Annie que tu l'aimes ?

David fusilla son fils du regard dans un dernier effort pour lui imposer silence.

Mais déjà, Tara, stupéfaite se levait, regardait son frère et s'étonnait :

— Quoi ? Papa est amoureux d'Annie ?

Clay rejeta les épaules en arrière, et défiant courageusement son père, affirma :

— Oui. C'est lui-même qui me l'a dit.

Tara vint vers son père et demanda :

— Tu l'as dit à Annie ?

David se sentit rougir et, gêné, il marmonna :

— Non. Pas vraiment.

— Papa ! s'indigna-t-elle.

Quand David regarda Annie et qu'il la vit au bord des larmes, la bouche agitée d'un tremblement, il dit, levant les mains comme pour s'excuser :

— Je voulais lui dire. J'en avais l'intention. Mais ça ne s'est pas fait.

Tara le poussa vers Annie et ordonna :

— Vas-y. Dis-le lui maintenant. Tout de suite.

Il réussit à résister aux mains de sa fille et dit :

— Ce n'est pas une chose qui se dit en public.

Tara comprit aussitôt. Elle attrapa Rachel par la main, fit signe à son frère et se hâta vers la porte. Avant de sortir, elle lança par-dessus son épaule :

— Ne t'inquiète pas pour nous, papa. On restera dans la chambre à regarder la télévision. Prenez votre temps, vous deux. Rien ne presse : on ne doit quitter la chambre qu'à midi.

Sur ce, elle claqua la porte et le bruit résonna étrangement dans la pièce vide, après l'animation des minutes précédentes.

Lentement, David se tourna vers Annie et dit avec un sourire confus :

— Je suis désolé. Ce n'est pas du tout comme ça que j'avais prévu que cela se passerait.

Elle le regarda, la gorge serrée, ne sachant ni si elle devait espérer, ni ce qu'elle pouvait espérer. Pieds et poings liés, en quelque sorte. Clay avait-il dit que David l'aimait ? Avait-elle bien entendu ? Dans ce cas, à lui de s'exprimer, décida-t-elle sur-le-champ. Elle ne serait satisfaite que s'il lui avouait un amour sans limites, sans règles d'aucune sorte. Rien de moins.

— Qu'il se passerait quoi ? demanda-t-elle, retenant son souffle dans l'attente de sa réponse.

— Je ne sais pas ! s'écria-t-il en faisant un large mouvement de la main comme pour englober tout ce qui venait de se passer. Mais rien de cela !

Il pivota sur ses talons et fit quelques pas puis revint vers elle.

— J'avais prévu, dit-il, penaud, de vous attendrir avec des fleurs et des chocolats. D'ailleurs, tout est en train de faner et de fondre dans la voiture.

Il leva les bras en signe d'impuissance et s'énerva :

— C'était sans compter sur la présence de trois gamins insupportables qui ont tout gâché ! Impossible de prévoir un tête-à-tête romantique avec eux dans les parages !

Elle s'avança vers lui, hésitante, se tordant nerveusement les mains.

— Vos gamins sont super, dit-elle.

Il la regarda avec un petit sourire et admit :

— C'est vrai. C'est aussi votre avis ?

Elle hocha la tête :

— On ne fait pas mieux.

Le sourire de David s'effaça pour laisser place à une expression d'admiration. Il la trouvait plus belle et plus généreuse que jamais.

— Je vous aime, Annie, plus que je n'ai de mots pour le dire, dit-il doucement.

179

Elle fit un pas et, rougissante, le cœur battant à tout rompre, s'arrêta.

— Pourquoi ne pas me l'avoir dit hier soir ? reprocha-t-elle. Pas un mot sur vous, sur vos sentiments à mon égard. Vous vous êtes contenté de me dire que les enfants avaient besoin de moi.

— Je sais, dit-il d'un ton pitoyable.

Malgré l'envie qu'il en avait, il se retint de la prendre dans ses bras car, s'il la touchait, il n'irait jamais au bout de ce qu'il avait à dire.

— J'étais venu dans cette intention, dit-il. Mais vous étiez si bouleversée par ce qui était arrivé à Tara que j'ai pensé que ce n'était pas le bon moment. Souvenez-vous, vous m'avez chassé ! dit-il en souriant.

— Et si j'étais partie ? demanda-t-elle, paniquée à l'idée qu'elle avait bien failli prendre la fuite après son départ.

— J'y ai pensé. C'est pour cela que j'ai passé la nuit sur le seuil de votre porte, avoua-t-il.

Elle en resta bouche bée.

— Quoi ? Vous avez dormi sur les marches, devant ma porte ? s'écria-t-elle, ébahie.

— Oui, sourit-il, très fier d'avoir réussi à l'étonner. Pour vous empêcher de partir si l'envie vous en prenait.

Elle comprenait maintenant pourquoi il avait l'air épuisé ! Pas surprenant qu'il ait des cernes sous les yeux et qu'il manque de ce dynamisme qui lui était habituel.

Elle porta les mains à ses lèvres et dit seulement :

— Oh, David !

— C'est ce matin qui m'a posé problème, continua-t-il. Les enfants réclamaient leur petit déjeuner et je ne voulais pas prendre le risque que vous vous éclipsiez pendant que j'irais le chercher.

Il plongea une main dans sa poche et en retira un objet.

— Alors, je me suis arrangé pour que vous ne puissiez pas partir.

Annie s'approcha pour regarder l'objet qui n'était autre qu'une bougie d'allumage.

Elle s'exclama :

— Vous avez trafiqué ma voiture ?

Il hocha la tête.

— Oui. Je ne voulais pas que vous disparaissiez sans que j'aie pu tenter ma chance.

Il remit la bougie dans sa poche et, la regardant dans les yeux, dit :

— Annie, voulez-vous m'épouser ? M'arracher à l'enfer dans lequel j'ai vécu depuis votre départ ?

Bien qu'assommée par cette proposition directe, elle étouffa un petit rire.

— Vous arracher à l'enfer ? En voilà une déclaration ! Dois-je le prendre pour une demande en mariage ?

Il s'approcha et lui prit les mains.

— Oui. C'est une déclaration honnête et sincère, plaida-t-il. Je suis perdu sans vous, Annie. Malheureux. Désespéré au-delà du supportable...

Elle retira ses mains des siennes et lui prit le visage. Lui faisant baisser la tête vers elle, elle dit, les yeux dans les siens.

— Encore quelques phrases du même genre et je perds complètement la tête.

Il lui prit la taille et la serra contre lui.

— Je t'aime, Annie, redit-il, lui effleurant les lèvres de sa bouche. J'aime te regarder. J'aime ton odeur, ta démarche, tes mains, tes pieds. J'aime tout en toi et de toi. Je suis même prêt à m'habituer à te voir avec des ongles bleus, bleu... « des mers du Sud », c'est cela ?

Riant à travers ses larmes de joie, Annie lui mit les bras autour du cou et murmura :

— Je t'aime, David Rawley.

Soulagé de l'entendre lui dire que ses sentiments étaient partagés, il la pressa contre lui, la souleva de terre et la joue contre la sienne, pria :

— Epouse-moi, Annie. Fais partie de notre famille.

— David, dit-elle, pleurant de plus belle, c'est toujours ce dont j'ai rêvé : une famille toute à moi.

Il essuya une larme sur la joue de la jeune fille.

— Epouse-moi et nous partagerons, promit-il.

Rejetant la tête en arrière pour mieux le voir, elle s'écria :

— Oui, David. Mille fois, oui.

Cette fois, il la fit tourbillonner follement plusieurs fois à travers la pièce, répétant inlassablement :

— Tu verras, tu seras heureuse, heureuse. Et moi avec toi. Nous serons tous heureux !

Pris par leur élan, ils s'affalèrent en riant sur le lit, Annie au-dessus de David.

Il lui prit le visage dans ses mains et dit :

— Tu fais de moi le plus heureux des hommes, Annie, plus heureux qu'une tête de mule de mon espèce le mérite.

— Oh, David, dit-elle, lui mettant un petit baiser sur la joue.

Avec un sourire, elle roula sur le côté et mit sa tête sur son épaule. Soudain pensive, elle se sentit assaillie de doutes. Tout s'était déroulé si vite.

— Crois-tu que les enfants vont m'accepter ? demanda-t-elle.

Il se rejeta en arrière, surpris et s'écria :

— Tu veux rire ? Ils sont fous de toi !

Elle gardait un visage sérieux et expliqua :

— Je sais bien qu'ils m'ont acceptée en tant que nounou. Mais que vont-ils penser si je t'épouse et que je devienne leur mère ? Ce n'est pas que je veuille remplacer leur vraie mère, cela, jamais, ajouta-t-elle aussitôt.

David rit doucement et la prit dans ses bras.

— Je sais, ma chérie, assura-t-il gravement, et les enfants aussi. Ils t'adorent, Annie. Ils ont confiance en toi. N'oublie jamais cela.

Elle soupira de soulagement car elle avait besoin d'être rassurée, de se l'entendre dire. Elle se blottit contre lui et suggéra :

— Si on allait leur annoncer la nouvelle ?

Il fit la grimace et posa ses lèvres sur les siennes.

— Ils sont occupés à regarder la télévision, dit-il.

Il glissa sa main sous son chemisier et chuchota :

— Tu as entendu ce que Tara a dit : nous avons jusqu'à midi pour quitter la chambre. Il n'y a pas urgence.

— Non, reconnut-elle, frissonnant de bonheur quand sa main se referma sur un sein.

Il sourit, passa une jambe par-dessus les siennes et murmura :

— Je connais un bon moyen pour occuper tout ce temps.

Chère lectrice,

Vous nous êtes fidèle depuis longtemps?
Vous venez de faire notre connaissance?

C'est pour votre plaisir que nous avons
imaginé un rendez-vous chaque mois
avec vos auteurs préférés, vos
AUTEURS VEDETTE dans les
collections Azur et Horizon.

Les AUTEURS VEDETTE vous
donneront rendez-vous pour de
nouveaux livres vedette.

Pour les reconnaître, cherchez
l'étoile... Elle vous guidera!

Éditions Harlequin

HARLEQUIN

LE FORUM DES LECTEURS ET LECTRICES

CHERS(ES) LECTEURS ET LECTRICES,

VOUS NOUS ETES FIDÈLES DEPUIS LONGTEMPS?

VOUS VENEZ DE FAIRE NOTRE CONNAISSANCE?

SI VOUS AVEZ DES COMMENTAIRES, DES CRITIQUES À FORMULER, DES SUGGESTIONS À OFFRIR, N'HÉSITEZ PAS... ÉCRIVEZ-NOUS À:

> LES ENTERPRISES HARLEQUIN LTÉE.
> 498 RUE ODILE
> FABREVILLE, LAVAL, QUÉBEC.
> H7R 5X1

C'EST AVEC VOS PRÉCIEUX COMMENTAIRES QUE NOUS ALLONS POUVOIR MIEUX VOUS SERVIR.

DE PLUS, SI VOUS DÉSIREZ RECEVOIR UNE OU PLUSIEURS DE VOS SÉRIES HARLEQUIN PRÉFÉRÉE(S) À VOTRE DOMICILE, NE TARDEZ PAS À CONTACTER LE SERVICE D'ABONNEMENT; EN APPELANT AU (514) 875-4444 (RÉGION DE MONTRÉAL) OU 1-800-667-4444 (EXTÉRIEUR DE MONTRÉAL) OU TÉLÉCOPIEUR (514) 523-4444 OU COURRIER ELECTRONIQUE: AQCOURRIER@ABONNEMENT.QC.CA OU EN ÉCRIVANT À:

> ABONNEMENT QUÉBEC
> 525 RUE LOUIS-PASTEUR
> BOUCHERVILLE, QUÉBEC
> J4B 8E7

MERCI, À L'AVANCE, DE VOTRE COOPÉRATION.

BONNE LECTURE.

HARLEQUIN.

VOTRE PASSEPORT POUR LE MONDE DE L'AMOUR.

COLLECTION HORIZON

Des histoires d'amour romantiques qui vous mènent au bout du monde!

Découvrez la passion et les vives émotions qu'apportent à la Collection Horizon des auteurs de renommée internationale!

Captivantes, voire irrésistibles, ces histoires d'amour vous iront assurément droit au coeur.

Surveillez nos trois nouveaux titres chaque mois!

GEN-H-R

La COLLECTION AZUR

Offre une lecture rapide et

- ☑ *stimulante*
- ☑ *poignante*
- ☑ *exotique*
- ☑ *contemporaine*
- ☑ *romantique*
- ☑ *passionnée*
- ☑ *sensationnelle!*

COLLECTION AZUR...des histoires
d'amour traditionnelles qui vous
mènent au bout monde!
Cinq nouveaux titres chaque mois.

L'ASTROLOGIE EN DIRECT
TOUT AU LONG
DE L'ANNÉE.

(France métropolitaine uniquement)
Par téléphone 08.92.68.41.01
0,34 € la minute (Serveur SCESI).

Composé et édité par les
*éditions*Harlequin
Achevé d'imprimer en novembre 2004

BUSSIÈRE

GROUPE CPI

à Saint-Amand-Montrond (Cher)
Dépôt légal : décembre 2004
N° d'imprimeur : 45106 — N° d'éditeur : 10953

Imprimé en France